EDICIÓN BILINGÜE
BENDECIDOS

Autores de la serie

Rev. Richard N. Fragomeni, Ph.D.
Maureen Gallagher, Ph.D.
Jeannine Goggin, M.P.S.
Michael P. Horan, Ph.D.

Corredactora y asesora para la Sagrada Escritura
Maria Pascuzzi, S.S.L., S.T.D.

Asesor para el patrimonio cultural hispánico y latinoamericano
Rev. Virgilio Elizondo, S.T.D., Ph.D.

The Ad Hoc Committee to Oversee the Use of the Catechism, United States Conference of Catholic Bishops, has found this catechetical series, copyright 2008, to be in conformity with the *Catechism of the Catholic Church.*

El Comité Ad Hoc para Supervisar el Uso del Catecismo, de la Conferencia de Obispos Católicos de los Estados Unidos, consideró que esta serie catequética, copyright 2008, está en conformidad con el *Catecismo de la Iglesia Católica.*

Cincinnati, Ohio

This book reflects the new revision of the

ROMAN MISSAL
THIRD EDITION

Multicultural Consultant

Angela Erevia, M.C.D.P., M.R.E.

Language Consultants

Verónica Esteban, Stefan Nikolov, Luz Nuncio Schick

Hispanic Consultants

Rev. Antonio Almonte
Humberto Ramos
Rev. Carlos Zuñiga
Consuelo Wild and the National Catholic Office
    for the Deaf
Mexican American Cultural Center

Music Advisors

Tony Alonso and GIA Publications

Níhil Óbstat

M. Kathleen Flanagan, S.C., Ph.D.
Censor Librorum

Imprimátur

✠ Reverendísimo Arthur J. Serratelli
Obispo de Paterson
4 de enero de 2007

El níhil óbstat y el imprimátur son declaraciones oficiales de que un libro o folleto no contiene ningún error doctrinal ni moral. Dichas declaraciones no implican que quienes han otorgado el níhil óbstat y el imprimátur estén de acuerdo con el contenido, las opiniones o los enunciados expresados.

Acknowledgments

Excerpts from *Catholic Household Blessings and Prayers* (revised edition) ©2007, United States Conference of Catholic Bishops, Washington, D.C.

Excerpts from the *New American Bible* with Revised New Testament Copyright © 1986, 1970 Confraternity of Christian Doctrine, Inc., Washington, DC. Used with permission. All rights reserved. No portion of the *New American Bible* may be reprinted without permission in writing from the copyright holder.

Excerpts from *La Biblia Latinoamericana* © 1972 by Bernardo Hurault and the Sociedad Bíblica Católica Internacional (SOBICAIN), Madrid, Spain, used with permission. All rights reserved.

All adaptations of Scripture are based on the *New American Bible* with Revised New Testament Copyright © 1986, 1970 Confraternity of Christian Doctrine, Inc., Washington, DC, and on *La Biblia Latinoamericana* © 1972.

Excerpts from the English translation of *Rite of Penance* © 1974, ICEL; excerpts from the English translation of *Eucharistic Prayers for Masses with Children* © 1975, ICEL; excerpts from the English translation of *The Roman Missal, Third Edition* ©2010, ICEL. All rights reserved.

Excerpts from the Spanish translation of *Ritual de la Penitencia* © 1975, Conferencia del Episcopado Mexicano and Obra Nacional de la Buena Prensa, A.C.; excerpts from the Spanish translation of *Plegarias Eucarísticas para las Misas con niños* © 1975, Conferencia del Episcopado Mexicano and Obra Nacional de la Buena Prensa, A.C.; excerpts from the Spanish translation of *Misal Romano,* © 1975, Conferencia del Episcopado Mexicano and Obra Nacional de la Buena Prensa, A.C. All rights reserved.

Credits

COVER: Gene Plaisted, OSC/The Crosiers

SCRIPTURE ART: Diane Paterson

ALL OTHER ART: 10-11 Elizabeth Wolf; 12, 14, 19 Maria Jimenez; 13 Diane Paterson; 34-35, 38-39 Nan Brooks; 40-41(TL&CL), 98-99, 146-147, 362-363 Judy Stead; 40-41(BL&R) Diana Magnuson; 48-49 Ginna Magee; 52-53, 292-293, 340-341, 346-347 Bernadette Lau; 60-61 Masami Miyamoto; 62-63, 136-137 Laura Huliska-Beith; 68-69 Melinda Levine; 76-81, 330-331 Lyn Martin; 86-87 George Ulrich; 92-93, 180-183(B), 212-213(B), 356-357 Dorothy Stott; 94-95 Karen Bell; 100-101, 220-221, 234-235, 248-249 Randy Chewning; 106-109, 280-281, 350-351 Morella Fuenmayor; 122-123 Jean & Mou-Sien Tseng; 128-129 Paige Billin-Frye; 140-141, 172-173 Heather Graham; 154-155, 302-303 Burgandy Beam; 158-159, 200-201 Julie Monks; 174-175(T), 188-189 George Hamblin; 174-175(B) Barb Massey; 186-187 Shelley Dieterichs; 196-197(T) Linda Howard Bittner; 196-197(B) Patti Green; 212-213(T), 180-181(T) Roman Dunets; 228-229 David Austin Clar; 242-243 Lauren Cryan; 256-257, 308-309 Pat Hoggan; 261, 272-273 Jill Dubin; 288-289 Gregg Valley; 294-295 Donna Perrone; 316-317 Sandy Rabinowitz; 320-321 Marcie Hawthorne; 324-327 Phyllis Pollema-Cahill; 332-333 Linda Weller; 334-335 David Bathurst; 336-337 Kathleen Kuchera; 342-343, 400-401 Cindy Rosenheim; 366-367 Tjagny-Rjadno

PHOTOS: Every effort has been made to secure permission and provide appropriate credit for photographic material. The publisher deeply regrets any omission and pledges to correct errors called to its attention in subsequent editions. Unless otherwise acknowledged, all photographs are the property of Scott Foresman, a division of Pearson Education. 22-23(Bkgd) ©The Israel Museum, Jerusalem; 22-23(Inset) Jim Whitmer; 26-27 Michael Newman/PhotoEdit; 50-51(Bkgd) James L. Shaffer; 54-55(TR) Vince Streano/Corbis; 54-55(L) Kwame Zikomo/SuperStock; 54-55(BR) Myrleen Ferguson Cate/PhotoEdit; 64-65(Bkgd) ©Donald Nausbaum/Stone; 78-79(Bkgd) ©Pablo Coral/Corbis; 82-83(Bkgd) Z. Radovan, Jerusalem; 98-97(Bkgd) ©Tim Brown/Stone; 110-111(BR) Fotopic/Omni-Photo Communications, Inc.; 110-111(Bkgd) PhotoDisc; 120-121 Myrleen Ferguson Cate/PhotoEdit; 124-125(Bkgd) Adam Woolfitt/Woodfin Camp & Associates/Jupiter Images; 138-139(Bkgd) CLEO; 142-143(Bkgd) Barry Searle/Sonia Halliday Photographs; 142-143(Inset) James L. Shaffer/Editorial Development Associates; 152-153 Sisters of Providence White Violet Center for Eco Justice; 156-157(Bkgd) ©Robert Fried; 160-161 ©Lawrence Migdale/Stone; 166-167 ©Bill Wittman; 170-171 Paul Conklin/PhotoEdit; 184-185(BR) Bettmann/Corbis; 184-185(Bkgd) Danilo G. Donadoni/Bruce Coleman Inc.; 194-195(T) Index Stock Imagery; 194-195(B) Peterson/Getty Images; 198-199 Earth Imaging/Stone; 202-203(Bkgd) Z. Radovan, Jerusalem; 202-203(Inset) ©Tony Freeman/PhotoEdit/Jupiter Images; 204-205 Myrleen Ferguson Cate/PhotoEdit; 216-217(Bkgd) Tony Freeman/PhotoEdit; 222-225 Myrleen Ferguson Cate/PhotoEdit; 254-255 PhotoEdit; 258-259(L) John Gerlach/TOM STACK & ASSOCIATES; 258-259(R) C.P. George/Visuals Unlimited; 262-263(Bkgd) David Lees/Corbis; 262-263(Inset) Michael Newman/PhotoEdit; 266-267(L) Catherine Karnow/Woodfin Camp & Associates; 266-267(TR) E. Crews/Image Works; 272-273 Don Smetzer/Stone; 276-277 Peter Cade/Stone; 282-283 Gene Plaisted, OSC/The Crosiers; 286-287 ©Alessandra Benedetti/Corbis; 290-291 Michael Gadomski/Animals Animals/Earth Scenes; 300-301(TL) Lori Grinker/Contact Press Images; 300-301(TR) Charles Caratini/Corbis; 300-301(BL) Lawrence Migdale/Stock, Boston/Jupiter Images; 300-301(BR) Daemmrich Photography; 304-305 ©David Tejada; 314-315(TR) Robert Brenner/PhotoEdit; 314-315(L) Myrleen Cate/PhotoEdit; 318-319 Jan Stromme/PhotoEdit; 322-323 Ariel Skelley/Corbis; 336-337 ©David Madison/Getty Images/Stone; 344-345 SuperStock; 348-349 James L. Shaffer; 360-361 Our Lady of Victory; 370-371(C) ©W.P. Wittman; 372-373(TC) MacDonald Photography/Unicorn Stock Photos; 372-373(B) Bob Daemmrich/Image Works; 372-373(BC) ©W.P. Wittman; 374-375 Gene Plaisted, OSC/The Crosiers; 388-389(T) The Pierpont Morgan Library/Art Resource, NY; 388-389(B) Myrleen Ferguson Cate/PhotoEdit; 394-395 CLEO; 398-399(B) Bob Daemmrich/Stock, Boston/Jupiter Images

6th Printing. March 2012.

CONTENIDO

DÍAS FESTIVOS Y TIEMPOS

NUESTRA HERENCIA CATÓLICA

Organizado de acuerdo con los 4 pilares del Catecismo

CONTENTS

FEASTS AND SEASONS

OUR CATHOLIC HERITAGE

Organized according to the 4 pillars of the Catechism

La Biblia
The Bible

**Felices los que escuchan la
Palabra de Dios y la obedecen.**

Basado en Lucas 11:28

**Blessed are those who hear
the Word of God and obey it.**

Based on Luke 11:28

La Biblia

La Biblia es la Palabra de Dios. Este libro sagrado nos ayuda a aprender acerca del gran amor de Dios por nosotros. Los relatos de la Biblia fueron escritos por muchas personas. El Espíritu Santo guió a todos los escritores de la Biblia.

La Biblia también se llama la **Sagrada Escritura**. Durante la Misa se leen relatos de la Sagrada Escritura.

El Antiguo Testamento

El Antiguo Testamento tiene relatos sobre personas que vivieron en la tierra antes que Jesús. Cuenta la historia de la creación. Habla de Moisés y de los mandamientos.

El Nuevo Testamento

El Nuevo Testamento habla acerca de la vida y de las enseñanzas de Jesús. Empieza con un **Evangelio**. Evangelio significa "Buena Nueva". Hay cuatro Evangelios. Llevan el nombre de cuatro seguidores de Jesús: Mateo, Marcos, Lucas y Juan.

La Biblia nos enseña a actuar como hijos de Dios.

The Bible

The Bible is the Word of God. This holy book helps us learn about God's great love for us. Many people wrote Bible stories. The Holy Spirit guided all writers of the Bible.

The Bible is also called **Scripture.** There are readings from Scripture at Mass.

Old Testament

The Old Testament has stories about people who lived on earth before Jesus. It tells the story of creation. It tells about Moses and the commandments.

New Testament

The New Testament tells about the life and teachings of Jesus. It begins with a **Gospel**. Gospel means "good news." There are four Gospels. They are named for four followers of Jesus — Matthew, Mark, Luke, and John.

The Bible teaches us how to act as children of God.

La vida de Jesús

Belén   Reyes Magos   Nazaret   Templo   pescadores   cruz

Jesús nació en _____ .

Los _____ fueron a Belén a ver a Jesús.

Jesús creció en _____ .

En Jerusalén, Jesús enseñó en el _____ .

Jesús les pidió a los _____ que lo siguieran.

Jesús murió en la _____ , cerca de Jerusalén.

Observa el mapa de la página 416. En él se muestran los lugares donde Jesús vivió y enseñó.

The Life of Jesus

Bethlehem   **wise men**   **Nazareth**   **Temple**   **fishermen**   **cross**

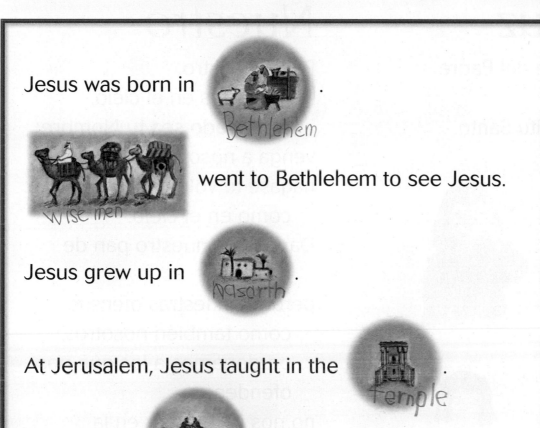

Jesus was born in _Bethlehem_ .

Wise men went to Bethlehem to see Jesus.

Jesus grew up in _Nazarth_ .

At Jerusalem, Jesus taught in the _Temple_ .

Jesus asked _fishermen_ to follow him.

Jesus died on the _Cross_ near Jerusalem.

Look at the map on page 416. It shows places
where Jesus lived and taught.

OREMOS

La Señal de la Cruz

En el nombre del Padre
  y del Hijo
  y del Espíritu Santo.
Amén.

El Padre Nuestro

Padre nuestro,
  que estás en el cielo,
  santificado sea tu Nombre;
venga a nosotros tu reino;
hágase tu voluntad en la tierra
  como en el cielo.
Danos hoy nuestro pan de
  cada día;
perdona nuestras ofensas,
  como también nosotros
  perdonamos a los que nos
  ofenden;
no nos dejes caer en la
  tentación, y líbranos del mal.
Amén.

LET US PRAY

The Sign of the Cross

In the name of the Father,
and of the Son,
and of the Holy Spirit.
Amen.

The Lord's Prayer

Our Father,
who art in heaven,
hallowed be thy name;
thy kingdom come,
thy will be done on earth
as it is in heaven.
Give us this day
our daily bread,
and forgive us our trespasses,
as we forgive those
who trespass against us;
and lead us not
into temptation,
but deliver us from evil.
Amen.

El Ave María

Dios te salve, María, llena
   eres de gracia;
el Señor es contigo.
Bendita Tú eres entre todas las
   mujeres,
y bendito es el fruto de tu
   vientre, Jesús.
Santa María, Madre de Dios,
ruega por nosotros, pecadores,
ahora y en la hora de nuestra
   muerte.
Amén.

Gloria

Gloria al Padre
   y al Hijo
   y al Espíritu Santo.
Como era en el principio,
   ahora y siempre,
   por los siglos de los siglos.
Amén.

The Hail Mary

Hail, Mary, full of grace,
  the Lord is with thee.
Blessed art thou among
  women
  and blessed is the fruit
  of thy womb, Jesus.
Holy Mary, Mother of God,
  pray for us sinners,
  now and at the hour
  of our death.
Amen.

Glory Be

Glory be to the Father
  and to the Son
  and to the Holy Spirit,
as it was in the beginning
  is now, and ever shall be
  world without end.
Amen.

Oración del penitente

Dios mío, me arrepiento de todo corazón de todo lo malo que he hecho y de todo lo bueno que he dejado de hacer, porque pecando te he ofendido a ti, que eres el sumo bien y digno de ser amado sobre todas las cosas.

Propongo firmemente, con tu gracia, cumplir la penitencia, no volver a pecar y evitar las ocasiones de pecado.

Perdóname, Señor, por los méritos de la pasión de nuestro Salvador Jesucristo.

Amén.

Ritual de la Penitencia

Oración a Nuestra Señora de Guadalupe

Salve, ¡oh, Virgen de Guadalupe, Emperatriz de las Américas! Mantén por siempre bajo tu poderoso patronato la pureza y la integridad de nuestra Santa Fe en todo el continente americano.

Amén.

Papa Pío XII
Versión traducida

Prayer of Sorrow

My God,
I am sorry for my sins with all my heart.
In choosing to do wrong
and failing to do good,
I have sinned against you
whom I should love above all things.
I firmly intend, with your help,
to do penance, to sin no more,
and to avoid whatever leads me to sin.
Our Savior Jesus Christ
suffered and died for us.
In his name, my God, have mercy.
Amen.

Rite of Penance

Prayer to Our Lady of Guadalupe

Hail, O Virgin of Guadalupe,
Empress of America!
Keep forever under your
powerful patronage the
purity and integrity of Our
Holy Faith on the entire
American continent.
Amen.

Pope Pius XII

17

El Credo de Nicea

Creo en un solo Dios, Padre
Todopoderoso,
Creador del cielo y de la tierra,
de todo lo visible y lo invisible.
Creo en un solo Señor, Jesucristo,
Hijo único de Dios,
nacido del Padre antes de todos
los siglos:
Dios de Dios,
Luz de Luz,
Dios verdadero de Dios verdadero,
engendrado, no creado,
de la misma naturaleza del Padre,
por quien todo fue hecho;
que por nosotros, los hombres,
y por nuestra salvación bajó del cielo,
y por obra del Espíritu Santo se
encarnó de María, la Virgen, y se
hizo hombre; y por nuestra causa
fue crucificado en tiempos de
Poncio Pilato; padeció y fue
sepultado, y resucitó al tercer día,
según las Escrituras, y subió al cielo,
y está sentado a la derecha del
Padre; y de nuevo vendrá con gloria
para juzgar a vivos y muertos, y su
reino no tendrá fin.
Creo en el Espíritu Santo,
Señor y dador de vida,

que procede del Padre y del Hijo,
que con el Padre y el Hijo recibe
una misma adoración y gloria,
y que habló por los profetas.
Creo en la Iglesia, que es una,
santa, católica y apostólica.
Confieso que hay un solo Bautismo
para el perdón de los pecados.
Espero la resurrección de los
muertos y la vida del mundo futuro.
Amén.

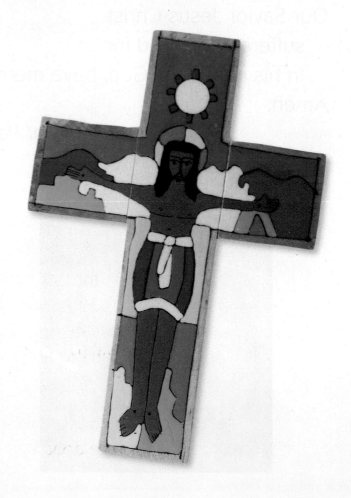

The Nicene Creed

I believe in one God, the Father Almighty,
    maker of heaven and earth,
    of all things visible and invisible.

I believe in one Lord Jesus Christ,
    the Only Begotten Son of God,
    born of the Father before all ages.
    God from God, Light from Light,
    true God from true God,
    begotten, not made, consubstantial with the Father;
    through him all things were made.
    For us men and for our salvation he came down from heaven,
    and by the Holy Spirit was incarnate of the Virgin Mary, and became man.

For our sake he was crucified under Pontius Pilate,
    he suffered death and was buried,
    and rose again on the third day
    in accordance with the Scriptures.
    He ascended into heaven
    and is seated at the right hand of the Father.

He will come again in glory to judge the living and the dead
    and his kingdom will have no end.

I believe in the Holy Spirit, the Lord, the giver of life,
    who proceeds from the Father and the Son,
    who with the Father and the Son is adored and glorified,
    who has spoken through the prophets.

I believe in one, holy, catholic and apostolic Church.

I confess one Baptism for the forgiveness of sins and I look forward
    to the resurrection of the dead and the life of the world to come.
Amen.

BENDECIDOS

ESTRIBILLO

¡Ben - de - ci - dos, so - mos san - tos hi - jos de la luz!___

Ben - de - ci - dos, y_e - le - gi - dos por Dios.___

Ben - de - ci - dos, Dios nos quie - re_ha - cer cual Je - sús.___

*

¡Ben - de - ci - dos, so - mos los hi - jos de Dios!___

ESTROFAS

Cantor: *Todos:*

1. Por el mun - do, por to - dos sus pue - blos: ¡So - mos lla - ma - dos
2. Por los po - bres, los man - sos y_hu - mil - des: ¡So - mos lla - ma - dos
3. Por los que su - fren y quie - ren ser li - bra - dos: ¡So - mos lla - ma - dos

Cantor:

pa - ra ser - vir!___ Que nos a - me - mos los u - nos a los o - tros;___
pa - ra ser - vir!___ Por los en - fer - mos, ham - brien - tos, y dé - bi - les:
pa - ra ser - vir!___ Ven - ga_a no - so - tros el Rei - no de los Cie - los:___

Todos: D.C.

¡So - mos lla - ma - dos pa - ra ser - vir!_____
¡So - mos lla - ma - dos pa - ra ser - vir!_____
¡So - mos lla - ma - dos pa - ra ser - vir!_____

*Repita última vez

Texto: David Haas, trad. por Ronald F. Krisman
Música: David Haas
© 2003, GIA Publications, Inc.

BLEST ARE WE

REFRAIN

Blest are we, ho-ly chil-dren of light are we!

Blest are we, cho-sen peo-ple of God.

Blest are we, God has plans for you and me.

Blest are we! We are the chil-dren of God!

VERSES

Cantor: *All:*

1. For our world, each sis-ter and broth-er: We are called,
2. For the poor, the meek and the low-ly: We are called,
3. For all those who yearn for free-dom: We are called,

Cantor:

called to serve! We are here to love one an-oth-er:
called to serve! For the weak, the sick and the hun-gry:
called to serve! For the world, to be God's king-dom:

All: D.C.

We are called, called to serve!
We are called, called to serve!
We are called, called to serve!

Last time, repeat final 4 bars.

Text: David Haas
Tune: David Haas
© 2003, GIA Publications, Inc.

Nos reunimos como creyentes

La comunidad de nuestra iglesia parroquial se reúne cada semana. Alabamos y damos gracias a Dios, y celebramos nuestra fe.

Es bueno dar gracias al SEÑOR
y celebrar tu nombre, Dios Altísimo.
Salmo 92:2

El rey David dio gracias a Dios con una canción alegre. Nos reunimos en la iglesia para cantar nuestra alabanza y nuestras gracias a Dios.

Our parish church community comes together each week. We give praise and thanks to God and we celebrate our faith.

*It is good to give thanks to the LORD,
to sing praise to your name, Most High.*
Psalm 92:2

King David gave thanks to God through joyful song. We gather in church to sing our praise and thanks to God.

23

Bautizado en Cristo

Cantor, entonces todos:

*1.   2.

Bau - ti - za-do_en Cris - to, y re - ves - ti - do_en Él.

A - le - lu - ya, a - le - lu - ya.

Se puede cantar en canon.

Texto: ICEL, © 1969; tr. por Ronald F. Krisman, © 2006, GIA Publications, Inc.
Música: Howard Hughes, SM, © 1977, ICEL

You Have Put On Christ

Cantor, then all:

You— have— put on Christ, in him you have been bap - tized.

Al - le - lu - ia, al - le - lu - la.

May be sung in canon.

Text: ICEL, © 1969
Music: Howard Hughes, SM, © 1977, ICEL

1 Nuestra Iglesia nos da la bienvenida

OREMOS

Dios, nos has reunido a todos aquí.
Te damos gracias y te alabamos.

Basado en la Plegaria Eucarística para las Misas con Niños I

Compartimos

Una comunidad es un lugar donde las personas te hacen sentir que eres bienvenido. En una familia, las personas comparten la vida y el amor.

En un vecindario, las personas viven cerca unas de otras.

En un salón de clase, las personas aprenden juntas.

¿Qué comunidades hacen que te sientas bienvenido?

_____

1. Pertenezco a la familia _____.

_____

2. Pertenezco a la Parroquia _____.

1 Our Church Welcomes Us

O God, you have brought us here together.
We give you thanks and praise.

Based on Eucharistic Prayer for Masses with Children I

Share

A community is a place where people make you
feel welcome. In a family, people share life and love.
In a neighborhood, people live near each other.
In a classroom, people learn together.

What communities make you feel welcome?

_____

1. I belong to the _____ family.

_____

2. I belong to _____ Parish.

Escuchamos y creemos

✝ La Escritura   Una cálida bienvenida

Un día, Jesús encontró a un hombre que cobraba impuestos. Se llamaba Leví. Le preguntó: "¿Quieres seguirme, Leví?".

"Sí", contestó Leví. Estaba contento de convertirse en un seguidor de Jesús.

Esa noche, Leví invitó a sus amigos y a Jesús a cenar a su casa. Jesús era el invitado de honor. Leví hizo que todos se sintieran bienvenidos.

Basado en Lucas 5:27–29

Hear & Believe

✝ Scripture A Warm Welcome

One day, Jesus met a man who collected taxes. His name was Levi. Jesus asked, "Levi, will you follow me?"

"Yes," Levi answered. He was happy to become a follower of Jesus.

That night, Levi invited his friends and Jesus to a dinner in his home. Jesus was the guest of honor. Levi made all his guests feel welcome.

Based on Luke 5:27–29

El Pueblo de Dios

Hoy les damos la bienvenida a otros, como lo hizo Leví. Como seguidores de Jesús, recibimos a todos. Somos el **Pueblo de Dios**. En la **Misa** celebramos una comida especial. Muestra el amor de Dios hacia nosotros.

Nuestra Iglesia nos enseña

Nuestra parroquia es una comunidad que venera, trabaja y se divierte unida. Como parte de la Iglesia Católica, nuestra parroquia recibe a todas las personas. Todos los miembros del Pueblo de Dios nos parecemos en algo: somos seguidores de Jesucristo. Les damos la bienvenida a todos los que creen en Jesús.

God's People

Today, we welcome others like Levi did. As followers of Jesus we are open to everyone. We are the **People of God**. We celebrate a special meal at **Mass**. It shows God's love for us.

Our Church Teaches

Our parish is a community that worships, works, and plays together. As part of the Catholic Church, our parish welcomes all people. There is one way all the People of God are alike. We are followers of Jesus Christ. We welcome all who believe in Jesus.

Respondemos
¡Bienvenidos, vecinos!

Tommy y su familia vinieron a los Estados Unidos para escapar de una guerra en su país. Los soldados los habían sacado de su casa.

El padre Louis y la gente de la Parroquia St. John quieren ayudarlos. La familia de Tommy vivirá en una casa que pertenece a la Iglesia. Un maestro los ayuda a aprender inglés. Algunas familias de la parroquia les llevan alimentos y ropa. Otras, libros y juguetes. El padre Louis ayuda al papá de Tommy a encontrar un empleo.

 ¿Cómo muestra la gente de la Parroquia St. John que son el Pueblo de Dios?

Respond

Welcome, Neighbors!

Tommy and his family came to the United States to escape a war in their country. Soldiers had put them out of their home.

Father Louis and the people of St. John's Parish want to help. The family will live in a house that belongs to the Church. A teacher is helping Tommy's family learn English. Some parish families are bringing food and clothes. Others bring books and toys. Father Louis is helping Tommy's dad find a job.

 How do the people of St. John's Parish show that they are the People of God?

Actividades

1. Dentro del marco haz un dibujo de personas que cuidan de los demás.

2. Habla sobre maneras de hacer sentir a los demás que son bienvenidos.

Activities

1. In the box, draw a picture of people who are caring for others.

2. Talk about ways to make other people feel welcome.

Celebración de la oración

Oración de acción de gracias

Celebramos que somos el
Pueblo de Dios, rezando juntos.

Líder: ¡Cantemos con gozo a Dios!
Alégrense de servir al Señor.

Todos: Somos el Pueblo de Dios.

Líder: Dios nos hizo. Dios nos llama
a todos a formar una Iglesia.

Todos: Somos el Pueblo de Dios.

Líder: Den gracias a Dios, que
siempre es bondadoso. Sean
felices, porque la caridad de
Dios dura por siempre.

Todos: Somos el Pueblo de Dios.
Amén.

Basada en el Salmo 100

Prayer Celebration

A Prayer of Thanksgiving

We celebrate being the People of God by praying together.

Leader: Sing with joy to God!
Be glad to serve the Lord.

All: We are the People of God.

Leader: God made us.
God calls us together as one Church.

All: We are the People of God.

Leader: Give thanks to God, who is always good. Be joyful, for God's kindness lasts forever.

All: We are the People of God. Amen.

Based on Psalm 100

La fe en acción

La familia y la comunidad Algunas familias pertenecen a un comité parroquial de bienvenida. Reciben a las personas cuando vienen a Misa. Ayudan a las familias nuevas a enterarse de las actividades de la parroquia. Hasta ayudan a los visitantes a sentirse bienvenidos.

En tu parroquia

Actividad Completa este gafete de bienvenida. Haz uno igual para usarlo cuando recibes a las personas en la parroquia.

Mi nombre es

Bienvenidos

En la vida diaria

Actividad Piensa en formas de hacer sentir bienvenido a alguien. Comparte cómo podrías hacer esto en casa, en la escuela o en tu vecindario.

Faith in Action

Family and Community   Some families belong to a parish welcoming committee. They greet people as they come to Mass. They help new families learn about parish activities. They even help visitors to feel welcome.

In Your Parish

Activity   Complete this welcome badge. Make one like it to wear it as a parish greeter.

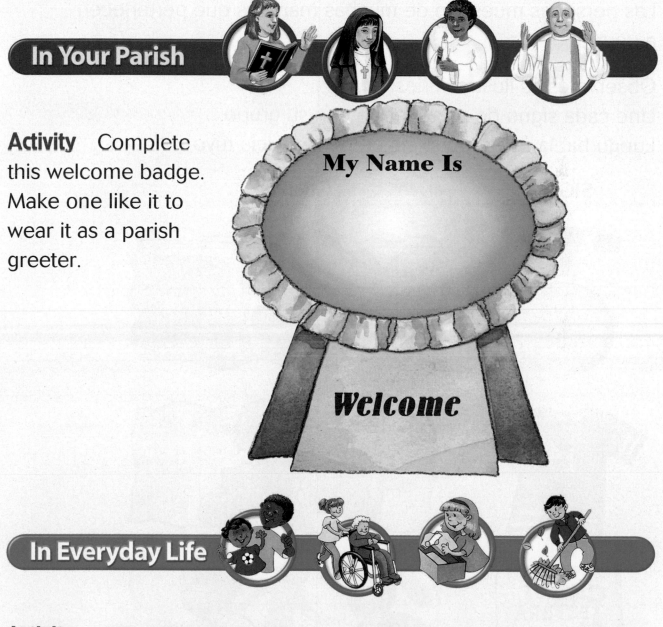

My Name Is

Welcome

In Everyday Life

Activity   Think about ways that you can make someone feel welcome. Share how you would do this at home, at school, or in your neighborhood.

2 Pertenecemos a la Iglesia

Somos hijos de la luz.
Somos hijos del día.

Basado en 1.ª Tesalonicenses 5:5

Compartimos

Las personas muestran de muchas maneras que pertenecen a un grupo.

Observa estas ilustraciones.
Une cada signo de pertenencia con su grupo.
Luego habla sobre un signo de pertenencia tuyo.

SIGNO   GRUPO

CLUB DE LECTURA

2 We Belong to the Church

 **LET US PRAY**

We are children of the light.
We are children of the day.

Based on 1 Thessalonians 5:5

Share

People have many ways to show they belong to a group.

Look at these pictures.
Match each sign of belonging with its group.
Then tell about a sign of belonging that you have.

SIGN	GROUP

Escuchamos y creemos

El culto Los sacramentos

Hay signos especiales que nos ayudan a celebrar nuestra vida en la Iglesia Católica. Se llaman **sacramentos**. Los sacramentos son signos del amor y la presencia de Dios.

El primer sacramento que reciben todos los católicos es el **Bautismo**. En él empezamos a participar de la vida de Jesús.

Las primeras personas que Dios creó lo desobedecieron. Esto se llama **pecado original**. El Bautismo quita el pecado original y los demás pecados. Estamos unidos a Jesús, que vino a perdonar los pecados.

Para ayudarnos a celebrar el Bautismo, la Iglesia Católica usa cuatro signos.

1. El sacerdote o el diácono derrama agua bendita sobre la cabeza del niño. Al mismo tiempo dice: "Yo te bautizo en el nombre del Padre, y del Hijo, y del Espíritu Santo".

2. El sacerdote o el diácono hace la Señal de la Cruz sobre la frente del niño. Lo hace con óleo bendito.

Hear & Believe

Worship The Sacraments

Special signs help us celebrate our life in the Catholic Church. They are called **sacraments**. Sacraments are signs of God's love and presence.

The first sacrament all Catholics receive is **Baptism**. In Baptism we begin to share in Jesus' life.

The very first people God created disobeyed God. This is called **original sin**. Baptism takes away original sin and all sin. We are united with Jesus who came to forgive sins.

The Catholic Church uses four signs to help us celebrate Baptism.

1. The priest or deacon pours blessed water over the child's head. At the same time he says, "I baptize you in the name of the Father, and of the Son, and of the Holy Spirit."

2. On the child's forehead the priest or deacon makes the Sign of the Cross. He does this with blessed oil.

3. El niño recibe ropa blanca. El sacerdote o el diácono dice: "Ya han sido ustedes transformados en una nueva creatura y se han revestido de Cristo".

4. Los padrinos del niño reciben un cirio encendido. El sacerdote o el diácono dice: "Reciban la luz de Cristo".

Basado en el Ritual para el Bautismo de los niños

Signos de nueva vida

En el Bautismo se nos da la bienvenida como miembros de la Iglesia. Los signos especiales del Bautismo nos recuerdan que participamos de la vida de Cristo. Jesucristo murió por nosotros y resucitó a una nueva vida.

Nuestra Iglesia nos enseña

El ministro ordinario del Bautismo es un sacerdote o un diácono. En algunos casos, cualquiera puede bautizar como la Iglesia, usando agua y las palabras del sacramento. El Bautismo quita el pecado original y los demás pecados. Nos convertimos en hijos de Dios. Recibimos al Espíritu Santo.

Creemos

En el Bautismo empezamos nuestra nueva vida como miembros de la Iglesia.

Palabras de fe

sacramentos
Los sacramentos son signos especiales del amor y la presencia de Dios.

pecado original
El pecado original es el pecado que cometieron el primer hombre y la primera mujer.

3. The child receives white clothes. The priest or deacon says, "You have become new. You have put on Christ."

4. The child's godparents receive a lighted candle. The priest or deacon says, "Receive the light of Christ."

Based on the Rite of Baptism for Children

Signs of New Life

We are welcomed as members of the Church at Baptism. The special signs of Baptism remind us that we share in the life of Christ. Jesus Christ died for us and rose to new life.

Our Church Teaches

A priest or deacon is the usual minister of Baptism. In some cases, anyone may baptize as the Church would wish using water and the words of the sacrament. Baptism takes away original sin and all sin. We become the children of God. We receive the Holy Spirit.

Respondemos

Llevar la luz a los demás

"¡Qué día maravilloso!", pensó Rita. "Hoy bautizaron a mis hermanitos mellizos, Samuel y Joshua. Algún día les hablaré sobre esto. Les diré qué hermoso es el cirio pascual. Nos recuerda que Jesús es la Luz del Mundo.

"Les hablaré de su padrino, el tío Al. Él les encendió dos cirios pequeños con el cirio pascual. Los cirios pequeños nos recuerdan que debemos mantener viva en nuestro interior la luz de Jesús y llevar la luz de Cristo a los demás mediante nuestras palabras y acciones.

"¡Sam y Josh ya están trayendo la luz a mi vida!"

? ¿De qué maneras puedes llevar la luz de Dios a los demás?

Respond
Bringing Light to Others

"What a great day!" thought Rita. "My twin baby brothers, Samuel and Joshua, were baptized today. Someday, I will tell them all about it. I'll tell them about the beautiful Easter candle. It reminds us that Jesus is the Light of the World.

"I will tell them about their godfather, Uncle Al. He lit two small candles from the Easter candle for them. The small candles remind us to keep the light of Jesus alive inside us. They remind us to bring Christ's light to others by our words and actions.

"Sam and Josh are already bringing light into my life!"

? What are some ways you can bring God's light to others?

Actividad

Usa estas palabras para completar el crucigrama.

> pertenencia   Luz   sacramento
> hijos   agua   pecado

Verticales

1. Todos nacemos con el _____ original.

2. El Bautismo es un signo de _____ a la Iglesia.

4. En el Bautismo se usa _____.

Horizontales

3. Somos _____ de Dios.

5. Un _____ es un signo del amor de Dios.

6. Jesús es la _____ del Mundo.

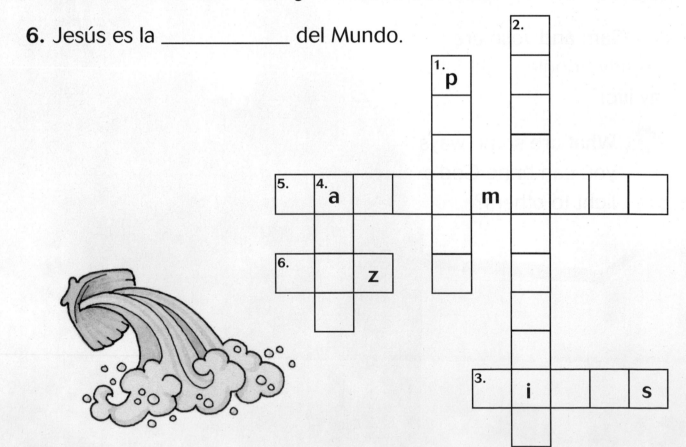

Activity

Use these words to complete the puzzle.

belonging	Light	sacrament
children	Water	sin

Down

1. We are all born with original _____.

2. Baptism is a sign of _____ to the Church.

4. _____ is used in Baptism.

Across

3. We are _____ of God.

5. A _____ is a sign of God's love.

6. Jesus is the _____ of the World.

✝ Celebración de la oración

Oración de petición

En el Bautismo recibimos la luz de Jesús.

Ahora pertenecemos a la Iglesia Católica.

Todos: **Dios, mantennos en la luz.
Escucha nuestras oraciones.**

Lector 1: Rezamos por todos los católicos bautizados.

Lector 2: Para que vivan como hijos de Dios.

Todos: **Permítenos caminar en la luz de Jesús.**

Lector 3: Rezamos por nuestros padrinos.

Lector 4: Para que mantengan viva en su corazón
la luz de la fe.

Todos: **Permítenos caminar en la luz de Jesús.**

Lector 5: Rezamos por nuestra familia.

Lector 6: Para que siempre estemos en tu amor.

Todos: **Permítenos caminar en la luz de Jesús.
Amén.**

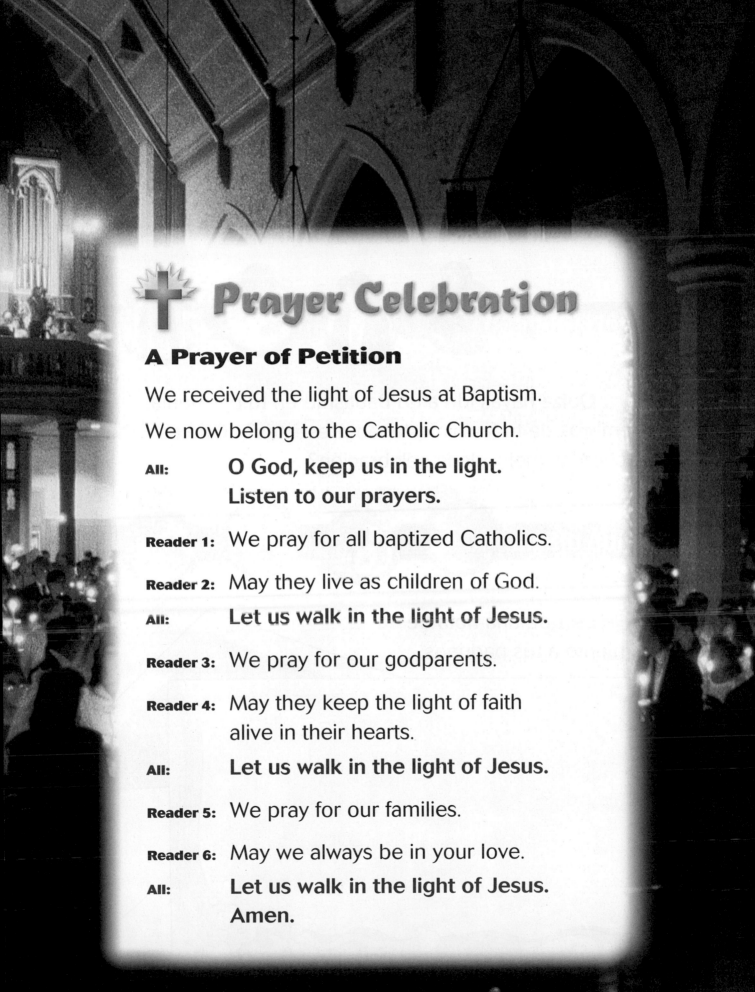

✝ Prayer Celebration

A Prayer of Petition

We received the light of Jesus at Baptism.

We now belong to the Catholic Church.

All: **O God, keep us in the light.**
Listen to our prayers.

Reader 1: We pray for all baptized Catholics.

Reader 2: May they live as children of God.

All: **Let us walk in the light of Jesus.**

Reader 3: We pray for our godparents.

Reader 4: May they keep the light of faith
alive in their hearts.

All: **Let us walk in the light of Jesus.**

Reader 5: We pray for our families.

Reader 6: May we always be in your love.

All: **Let us walk in the light of Jesus.**
Amen.

La fe en acción

Los padrinos   En el Bautismo, los padrinos hablan por el niño que es bautizado. Son personas especiales. Ayudan a los padres a enseñarle al niño la fe católica. Los padrinos muestran las formas de amar a Dios. Son modelos de conducta para su ahijado.

En tu parroquia

Actividad   Quizá hayas ido a un Bautismo en tu parroquia. ¿Qué miembros de tu familia estaban presentes? ¿Qué es lo que recuerdas mejor de la celebración?

En la vida diaria

Actividad   Escribe una nota de agradecimiento a tus padrinos.

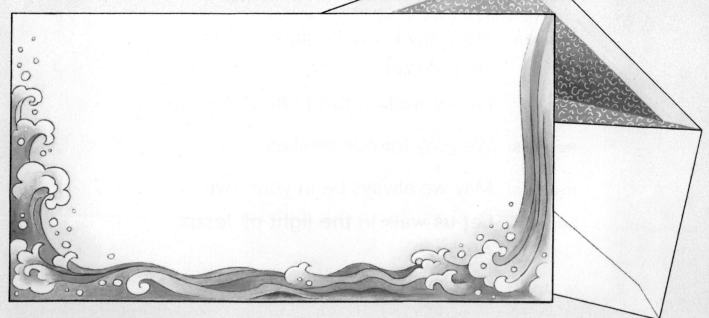

Faith in Action

Godparents At Baptism, godparents speak for the child being baptized. Godparents are special people. They help parents teach their child about the Catholic faith. Godparents show ways to love God. They are role models for their godchild.

In Your Parish

Activity Maybe you have attended a baptism in your parish. What people in your family were there? What do you remember most about the celebration?

In Everyday Life

Activity Write a thank you note to your own godparents.

3 La Iglesia nos enseña cómo vivir

Ámense los unos a los otros.
Así todos sabrán que son mis seguidores.

Basado en Juan 13:35

Compartimos

Algunas personas son héroes. Ayudan a los demás.
Nos enseñan cómo vivir.

Busca a los héroes de estas
ilustraciones. Enciérralos en
un círculo.

¿Cuál es tu héroe preferido de la vida real? ¿Por qué?

3 Our Church Shows Us How to Live

Love one another. Then everyone will know that you are my followers.

Based on John 13:35

Share

Some people are heroes. They help others. They show us how to live.

Find the heroes in these pictures. Draw circles around them.

Who is your favorite real-life hero? Why?

Escuchamos y creemos

✝ La Escritura El verdadero héroe

Un día, Jesús contó un relato sobre un héroe.

Un hombre iba viajando solo. Unos ladrones lo atacaron. Lo golpearon y le quitaron el dinero. Lo dejaron tirado en el camino, muy lastimado.

Poco tiempo después, pasó un líder religioso. Lo vio, pero siguió de largo.

Luego pasó un hombre que trabajaba en el Templo. Tampoco se detuvo a ayudarlo.

Después pasó otro hombre, subido en un burro. Era del país de Samaria. Vio al herido en el camino. Se detuvo inmediatamente. Le limpió las heridas y se las vendó. Luego cargó al hombre en el burro y lo llevó a una posada. Allí le pagó al posadero para que cuidara de él.

Basado en Lucas 10:29–35

Hear & Believe

✝ Scripture The Real Hero

One day, Jesus told a story about a hero.

A man was traveling by himself. Robbers attacked him. They beat him and took his money. He was left lying in the road, badly hurt.

Soon a religious leader came by. He saw the man, but he just kept going.

Next, a man who worked in the Temple came along. He also passed by without helping.

Then, a third man came by, riding a donkey. He was from the country of Samaria. He saw the hurt man on the road. He stopped at once. He washed the man's wounds. He put bandages on them. Then the man from Samaria put the hurt man on the donkey. He took him to an inn. There he paid the innkeeper to care for the man.

Based on Luke 10:29–35

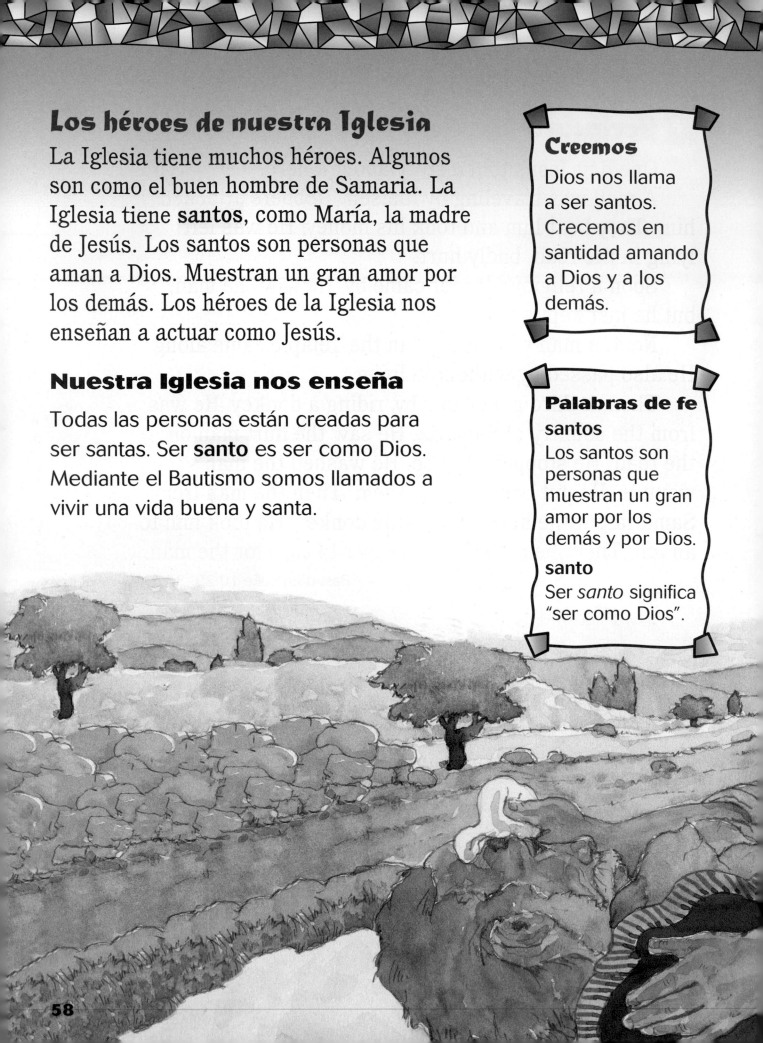

Los héroes de nuestra Iglesia

La Iglesia tiene muchos héroes. Algunos son como el buen hombre de Samaria. La Iglesia tiene **santos**, como María, la madre de Jesús. Los santos son personas que aman a Dios. Muestran un gran amor por los demás. Los héroes de la Iglesia nos enseñan a actuar como Jesús.

Nuestra Iglesia nos enseña

Todas las personas están creadas para ser santas. Ser **santo** es ser como Dios. Mediante el Bautismo somos llamados a vivir una vida buena y santa.

Creemos

Dios nos llama a ser santos. Crecemos en santidad amando a Dios y a los demás.

Palabras de fe

santos

Los santos son personas que muestran un gran amor por los demás y por Dios.

santo

Ser *santo* significa "ser como Dios".

Heroes of Our Church

The Church has many heroes. Some are like the good man from Samaria. The Church has **saints** like Mary, the mother of Jesus. Saints are people who love God. They show great love for one another. Church heroes teach us how to act like Jesus.

Our Church Teaches

All people are made to be **holy**. To be holy is to be like God. Through Baptism we are called to live good and holy lives.

We Believe

God calls us to be holy. We grow in holiness by loving God and loving other people.

Faith Words

saints
Saints are people who show great love for other people and for God.

holy
To be holy means to be like God.

Respondemos
María y otros santos

María y otros santos nos enseñan a vivir como cristianos.

María es la santa más importante. Fue una buena madre para Jesús. Nos enseña a confiar en Dios y a cuidar de los demás.

San Pedro Claver cuidó de personas de las que nadie más se ocupaba. Nos enseña a ayudar con amor a todos los necesitados.

Santa Brígida vendió todo lo que tenía. Les dio el dinero a los pobres. Nos enseña a compartir nuestras bendiciones con los demás.

A San Jerónimo le gustaba enseñar a la gente a leer y a comprender la Biblia. Nos enseña a compartir la Palabra de Dios con los demás.

La Iglesia tiene muchos héroes como éstos.

Todos nos enseñan cómo amar a Dios y seguir a Jesús.

 ¿Cuál es tu santo preferido?

¿Cómo puedes seguir el ejemplo de este santo?

Respond
Mary and Other Saints

Mary and other saints teach us how to live as Christians.

Mary is the greatest saint of all. She was a good mother to Jesus. She teaches us to trust God and to care for others.

Saint Peter Claver cared for people no one else cared about. He teaches us to reach out in love to everyone in need.

Saint Brigid sold what she had. She gave the money to people who were poor. She teaches us to share our blessings with others.

Saint Jerome loved to teach people how to read and understand the Bible. He teaches us to share the Word of God with others.

The Church has many heroes like these.
They all teach us how to love God and follow Jesus.

 Which saint is your favorite?
How can you follow this saint's example?

Actividad

Haz un dibujo de alguien que conozcas que sea un héroe. O dibújate a ti mismo actuando de manera buena y santa.

Activity

Draw a picture of someone you know who is a hero. Or draw a picture of yourself acting in a good and holy way.

Celebración de la oración

Letanía

Una letanía es una oración que se dice en voz alta.

Un líder nombra a santos o a otras personas santas.

Después de cada nombre, le pedimos al santo o a las otras personas que recen por nosotros.

Líder:	Todos:
Santa María, Madre de Dios,	reza por nosotros.
San Pedro Claver,	reza por nosotros.
Santa Brígida,	reza por nosotros.
San Jerónimo,	reza por nosotros.
Todos los que ayudan a los pobres y a los hambrientos,	recen por nosotros.
Todos los que cuidan de los débiles y de los enfermos,	recen por nosotros.
Todos los hombres y las mujeres santos,	recen por nosotros.

Todos: **Dios celestial, haz que sigamos el ejemplo de tus santos y de otras personas santas. Haz que siempre tratemos de ayudar a los necesitados. Amén.**

Prayer Celebration

A Litany Prayer

A litany is a prayer that is said aloud.

A leader names saints or other holy people.

After each one, we ask the saint or persons to pray for us.

Leader:	All:
Holy Mary, Mother of God,	pray for us.
Saint Peter Claver,	pray for us.
Saint Brigid,	pray for us.
Saint Jerome,	pray for us.
All who help the poor and the hungry,	pray for us.
All who care for the weak and the sick,	pray for us.
All holy men and women,	pray for us.

All: Heavenly God, may we follow the example of your saints and other holy people. May we always try to help people in need. Amen.

La fe en acción

Ministerio de Manos Amigas Las personas de este ministerio sirven a los que necesitan ayuda en sus tareas. Alguien puede necesitar ayuda para cambiar una bombilla en el techo o para reciclar periódicos. Los miembros pueden leer cartas a los vecinos que no ven bien. Dan una mano amiga a cualquiera que la necesite.

En tu parroquia

Actividad Nombra dos maneras en que las personas de tu parroquia tratan a los demás con caridad.

En la vida diaria

Actividad ¿Qué deberías hacer? Escribe el número del problema delante de la mejor respuesta.

1 Un grupo se burla de un maestro.

2 Ves a un niño que le quita el almuerzo a otro más pequeño.

3 Tienes un amigo que es peleón.

_____ Te preguntas si quieres tener esa clase de amigos.

_____ Le cuentas lo que viste a un adulto.

_____ No te ríes con ellos.

Faith in Action

Helping Hands Ministry   People in this ministry serve people who need help with tasks. Someone may need help to replace a ceiling light bulb, or recycle newspapers. Members may read letters to neighbors with poor vision. They reach out to anyone who needs a helping hand.

In Your Parish

Activity   Name two ways that people in your parish treat others with kindness.

In Everyday Life

Activity   What should you do? Place the number of the problem in front of the best answer.

1 A group makes fun of a teacher.

2 You see an older boy grab the lunch of a younger boy.

3 You have a friend who is a bully.

_____ Ask yourself if you want that kind of friend.

_____ Report what you see to an adult.

_____ Do not laugh with them.

4 Alabamos y agradecemos a Dios

Canten al SEÑOR un canto nuevo.

Salmo 149:1

Compartimos

Las celebraciones son momentos importantes.
Las personas se reúnen para agradecer.
Dicen "gracias" por personas o dones especiales.

El Cuatro de Julio damos gracias por la libertad.

En los cumpleaños damos gracias por la vida.

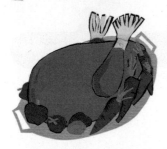

En el día de Acción de Gracias damos gracias por todas nuestras bendiciones.

En el día de San Valentín damos gracias por los amigos.

1. Escribe el nombre de una celebración que hayas disfrutado.

_____

- -

_____

2. Escribe por qué diste gracias.

_____

- -

_____

- -

_____

4 We Praise and Thank God

Share

Celebrations are important times.
People come together to give thanks.
They say "thank you" for special people or gifts.

On the Fourth of July, we give thanks for freedom.

On birthdays we give thanks for life.

On Thanksgiving we give thanks for all our blessings.

On Valentine's Day we give thanks for friends.

1. Write the name of a celebration you enjoyed.

_____
- -
_____

2. Write why you gave thanks.

_____
- -
_____
_____
- -
_____

Escuchamos y creemos

✝ La Escritura   El rey David da gracias

El rey David amaba a Dios. Le gustaba guiar al pueblo judío en la oración. Le gustaba tocar el arpa, bailar y cantar. Cantaba acerca de la bondad de Dios. Daba gracias a Dios por darles tantos dones a las personas.

Un día algunos líderes judíos llevaron el arca que contenía las leyes de Dios a la ciudad de David. David les ordenó a los músicos que tocaran las arpas, las liras y los platillos. Luego David cantó a viva voz:

"¡Qué bueno es dar gracias y glorificar a Dios!
Canto alabanzas a tu nombre, Dios.
Todas las mañanas eres bondadoso conmigo.
Me acompañas día y noche.
Tu bondad me llena de alegría.
Soy feliz por los dones que me das".

Basado en 1.ª Crónicas 15 y el Salmo 92:1–5

Hear & Believe

✝ Scripture King David Gives Thanks

King David loved God. He liked to lead the Jewish people in prayer. David liked to play the harp, dance, and sing. He sang about God's goodness. He thanked God for giving the people many gifts.

One day Jewish leaders brought the ark that held God's laws into David's city. David ordered musicians to play on their harps, lyres, and cymbals. Then David sang out,

"How good it is to give God thanks and glory!
I sing praise to your name, O God.
Every morning you are kind to me.
You are with me all day and all night.
Your goodness fills me with gladness.
I am happy because of the gifts you give to me."

Based on 1 Chronicles 15 and Psalm 92:1–5

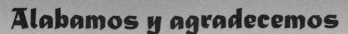

Alabamos y agradecemos

El rey David escribió muchas oraciones en forma de canción, llamadas **salmos**. La comunidad de nuestra parroquia canta canciones especiales en la Misa. Decimos palabras de **alabanza** y agradecemos a Dios con música sagrada.

Nuestra Iglesia nos enseña

La **oración** es hablar con Dios y escucharlo. Hay muchas clases de oración. Algunas dan gracias a Dios. Otras dicen palabras de alabanza por la bondad de Dios. Podemos rezar a solas. Podemos rezar con los demás. Podemos cantar o tocar música mientras rezamos.

Creemos

Rezamos cuando cantamos, bailamos o escuchamos música sagrada. La música sagrada nos ayuda a alabar y dar gracias a Dios.

Palabras de fe

alabanza
La alabanza es una manera alegre de rezar que celebra la bondad de Dios.

oración
La oración es hablar con Dios y escucharlo.

We Give Praise and Thanks

King David wrote many song-prayers called **psalms**. Our parish community sings special songs at Mass. We give **praise** and thanks to God with holy music.

Our Church Teaches

Prayer is talking to and listening to God. There are many kinds of prayer. Some prayers give thanks to God. Some prayers give praise for God's goodness. We can pray alone. We can pray with others. We can sing or play music as we pray.

Respondemos

Gloria a Dios

En la primera parte de la Misa, generalmente cantamos "Gloria a Dios". Esta canción especial se llama Gloria. Es una oración de alabanza y de acción de gracias. Empieza así:

Gloria a Dios en el cielo, y en la tierra
paz a los hombres que ama el Señor.

Por tu inmensa gloria, te alabamos, te bendecimos,
te adoramos, te glorificamos, te damos gracias,
Señor Dios, Rey Celestial,
Dios Padre todopoderoso.

Ordinario de la Misa

Respond
Glory to God

In the first part of the Mass, we usually sing "Glory to God." This special song is called the Gloria. It is a prayer of praise and thanks. This is how it begins.

Glory to God in the highest, and on
earth peace to people of good will.

We praise you, we bless you, we adore you,
we glorify you, we give you thanks for your great glory,
Lord God, heavenly King,
O God, almighty Father.

The Order of Mass

Actividades

1. Escribe tu propia oración de alabanza.

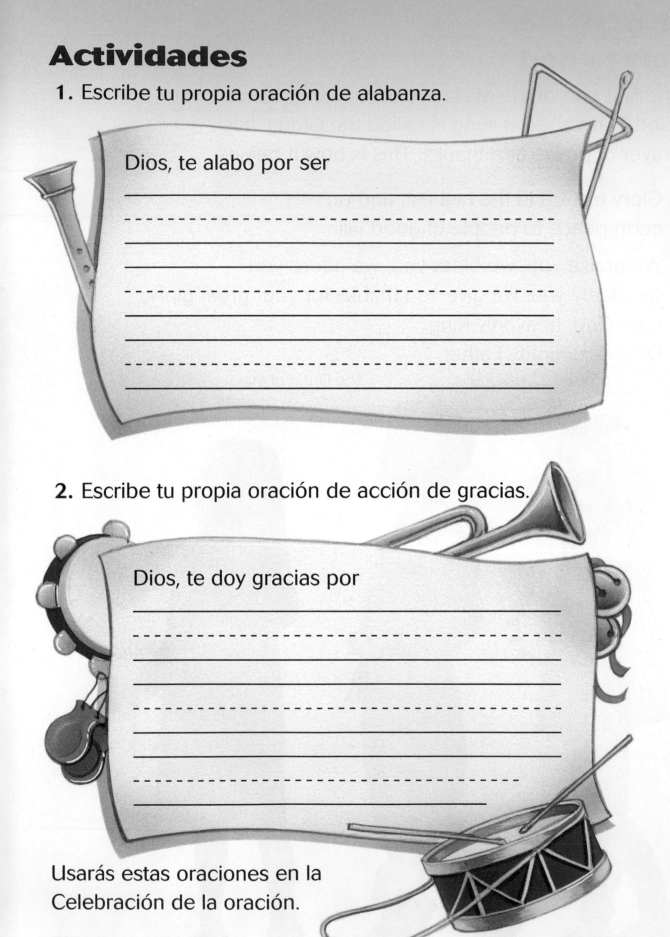

Dios, te alabo por ser

_____

- -

_____

_____

- -

_____

_____

- -

_____

2. Escribe tu propia oración de acción de gracias.

Dios, te doy gracias por

_____

- -

_____

_____

- -

_____

_____

- -

_____

Usarás estas oraciones en la
Celebración de la oración.

Activities

1. Write your own prayer of praise.

O God, I praise you for being

_____

- -

_____

- -

_____

_____

- -

_____

2. Write your own prayer of thanks.

O God, I thank you for

_____

- -

_____

_____

- -

_____

- -

_____

You will use these prayers in
the Prayer Celebration.

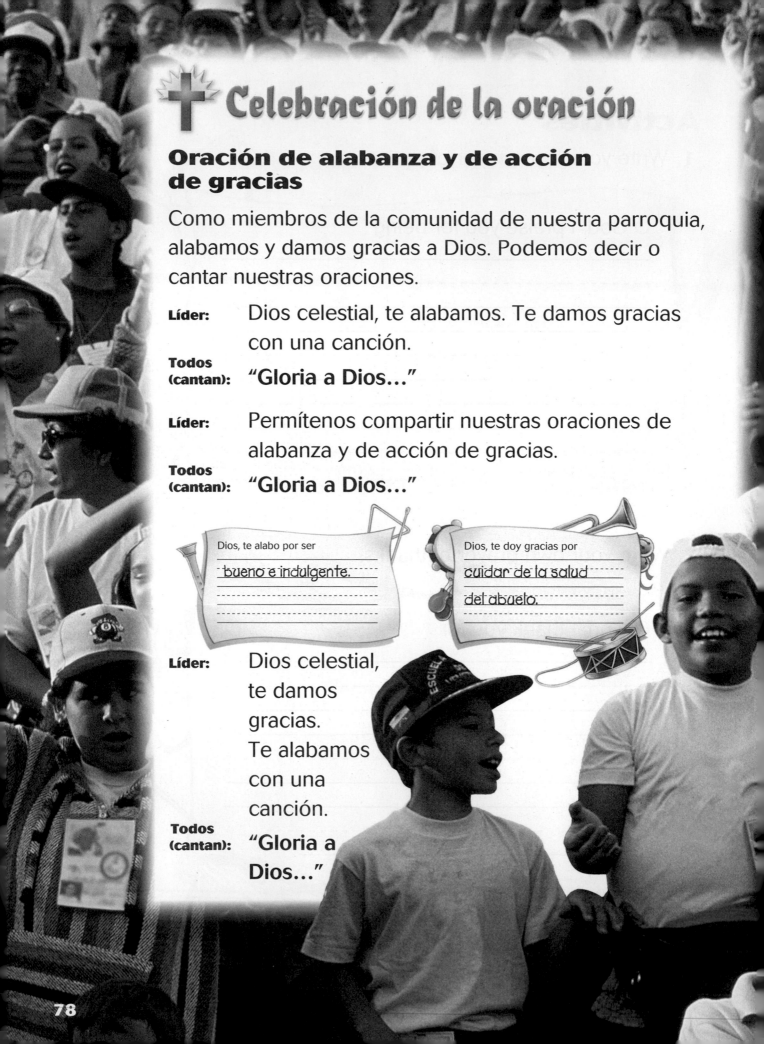

✝ Celebración de la oración

Oración de alabanza y de acción de gracias

Como miembros de la comunidad de nuestra parroquia, alabamos y damos gracias a Dios. Podemos decir o cantar nuestras oraciones.

Líder: Dios celestial, te alabamos. Te damos gracias con una canción.

Todos (cantan): "Gloria a Dios…"

Líder: Permítenos compartir nuestras oraciones de alabanza y de acción de gracias.

Todos (cantan): "Gloria a Dios…"

Dios, te alabo por ser
bueno e indulgente.

Dios, te doy gracias por
cuidar de la salud
del abuelo.

Líder: Dios celestial, te damos gracias. Te alabamos con una canción.

Todos (cantan): "Gloria a Dios…"

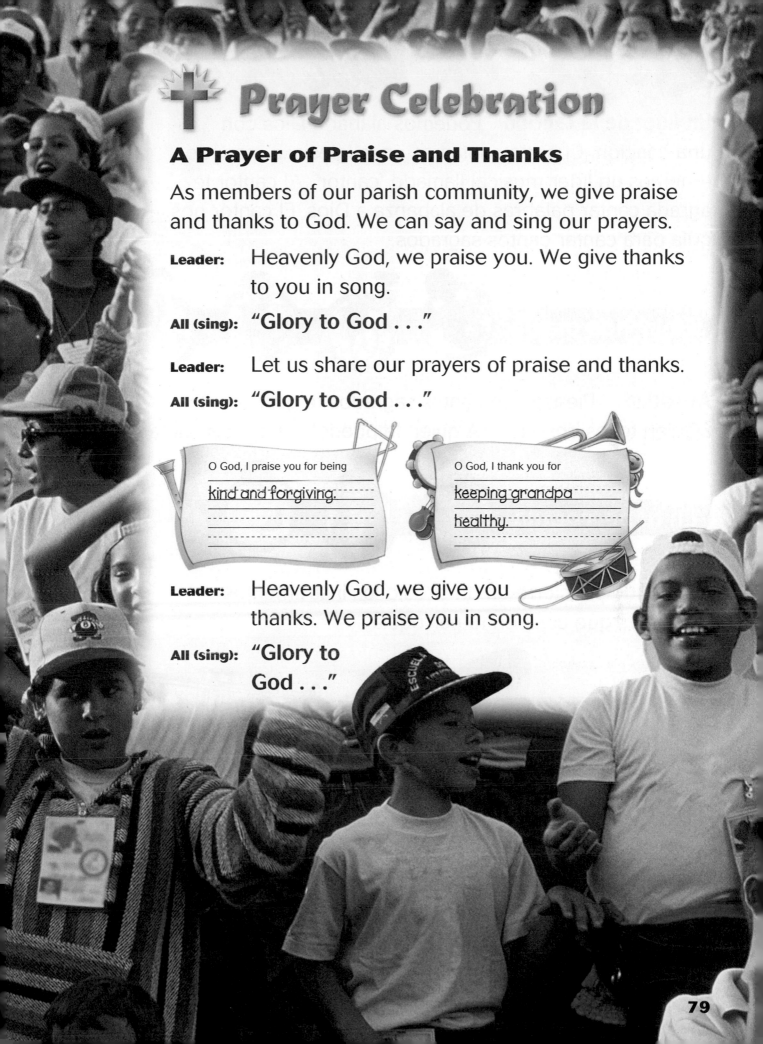

✝ Prayer Celebration

A Prayer of Praise and Thanks

As members of our parish community, we give praise and thanks to God. We can say and sing our prayers.

Leader: Heavenly God, we praise you. We give thanks to you in song.

All (sing): "Glory to God . . ."

Leader: Let us share our prayers of praise and thanks.

All (sing): "Glory to God . . ."

O God, I praise you for being

kind and forgiving.

O God, I thank you for

keeping grandpa

healthy.

Leader: Heavenly God, we give you thanks. We praise you in song.

All (sing): "Glory to God . . ."

La fe en acción

Un líder de la canción Podemos alabar a Dios con una canción. Cuando cantamos en la iglesia, a menudo tenemos un líder musical llamado 'cantor'. Al cantor le agrada cantar palabras de alabanza a Dios. El cantor nos guía para cantar cantos sagrados.

En la vida diaria

Actividad Piensa qué cantos sagrados te gusta cantar. ¿Quién te los enseñó? ¿A quién le puedes enseñar a cantar?

En tu parroquia

Actividad Encierra en un círculo los instrumentos musicales que usan en tu parroquia.

Faith in Action

A Song Leader   We can praise God in song. When we sing in church, we often have a music leader called a 'cantor.' A cantor loves to sing praises to God. The cantor leads us in singing holy songs.

In Everyday Life

Activity   Think about holy songs you like to sing. Who taught you these songs? Whom can you teach to sing?

In Your Parish

Activity   Circle the musical instruments used in your parish.

Pedimos el perdón de Dios

Dios siempre está dispuesto a perdonarnos cuando pecamos. Dios nos pide que nos arrepintamos de las cosas malas que hemos hecho. Quiere que perdonemos a los que nos han hecho algo malo.

Alégrense conmigo, porque he encontrado la oveja que se me había perdido.

Lucas 15:6

Dios es como un pastor que está feliz por encontrar a su oveja perdida. Dios se alegra cuando nos arrepentimos de nuestros pecados.

We Ask God's Forgiveness

God is always ready to forgive us when we sin. God calls us to be sorry for the wrongs we have done. He wants us to forgive others who have wronged us.

*Rejoice with me because
I have found my lost sheep.*
Luke 15:6

God is like a shepherd who is happy to find his lost sheep. God rejoices when we are sorry for our sins.

Perdónanos, Señor

ESTRIBILLO

Por tu bon - dad, per - dó - na - nos, Se - ñor; per -

dó - na - nos, por - que he - mos pe - ca - do. _____

ESTROFAS

1. Dios mío, ten piedad por tu bondad,
   por tu gran corazón borra mi culpa;
   oh, lávame de todos mis delitos, Señor;
   purifícame de mis pecados.

2. Pues yo reconozco mi culpa,
   mi pecado está ante mí;
   contra ti, contra ti sólo pequé, Señor;
   cometí la maldad que aborreces.

3. Oh, crea en mí un corazón sincero,
   con espíritu firme renuévame;
   no me arrojes lejos de tu rostro, mi Dios,
   no me quites tu espíritu santo.

4. Dame tu salvación que regocija,
   y mantén en mí un alma generosa;
   enseñaré tus sendas a los malhechores;
   los pecadores volverán a ti.

Texto: Salmo 51:3–4, 5–6, 12–13, 14–15; Marty Haugen; trad. por Ronald F. Krisman
Música: Marty Haugen © 1983, 2006, GIA Publications, Inc.

Be Merciful, O Lord

REFRAIN

Be mer-ci-ful, O— Lord, for we have sinned; be— mer-ci-ful, O— Lord, for we have sinned.—

VERSE

1. Have mercy on me, God, in your kindness,
   in your compassion, blot out my offense.
   O wash me more and more from my guilt and my sorrow,
   and cleanse me from all of my sin.

2. My offenses, truly I know them,
   and my sins are always before me;
   against you alone have I sinned, O Lord,
   what is evil in your sight I have done.

3. Create in me a clean heart, O God,
   put your steadfast spirit in my soul.
   Cast me not away from your presence,
   O Lord, and take not your spirit from me.

4. Give back to me the joy of your salvation,
   let your willing spirit bear me up
   and I shall teach your way
   to the ones who have wandered,
   and bring them all home to your side.

5 Podemos elegir lo que es bueno

Ama al SEÑOR, tu Dios, y obedece
su palabra.

Basado en Deuteronomio 30:20

Compartimos

Todos los días hacemos muchas elecciones. Algunas son sencillas, pero otras son difíciles. Algunas son correctas, pero otras son incorrectas.

Dibuja una cara feliz por cada buena elección que hay a continuación.
Dibuja una cara triste por cada mala elección.

1. Tom no comparte las cosas con sus amigos.

2. Juanita le dice la verdad a su papá.

3. Wes obedece a su mamá y apaga la televisión.

4. Mary toma un dólar que no es suyo.

5 We Can Choose What is Good

Love the LORD, your God, and obey his word.

Based on Deuteronomy 30:20

Share

We make many choices every day. Some choices are easy, but some are hard. Some are right, but others are wrong.

Draw a happy face for each good choice below.
Draw a sad face for each bad choice.

1. Tom does not share with his friends.

2. Juanita tells her dad the truth.

3. Wes obeys his mom and turns off the TV.

4. Mary takes a dollar that is not hers.

Escuchamos y creemos

✝ La Escritura El padre que perdona

Había un hombre que tenía dos hijos. El hijo menor dijo: "Sé que piensas darme dinero cuando sea mayor. ¿Podrías dármelo ahora?". Y su padre se lo dio.

El muchacho se fue muy lejos. ¡Al poco tiempo se había gastado hasta el último centavo! Tenía hambre y no tenía dónde vivir.

Estaba arrepentido de sus malas elecciones. Había malgastado el dinero y había hecho sufrir a su padre. Decidió volver a casa y pedirle que lo perdonara.

Su padre lo vio de lejos y corrió a saludarlo. "Perdóname", dijo el muchacho, pero su padre ya lo había perdonado y lo abrazó. Después le hizo una gran fiesta de bienvenida.

Basado en Lucas 15:11–24

Hear & Believe

✝ Scripture The Forgiving Father

Once there was a man who had two sons. The younger son said, "I know you plan to give me money when I am older. May I have it now?" So his father gave him the money.

The boy moved far away. Soon, he had spent every cent! He was hungry and had no place to live.

The boy was sorry for the wrong choices he had made. He had wasted the money and hurt his father. The boy made up his mind to go home. He would ask his father to forgive him.

While the boy was still far from home, his father saw him. He ran to greet his son. "I'm sorry," the boy said, but his father had already forgiven him. The man hugged his son. Then he gave the boy a big "welcome home" party.

Based on Luke 15:11–24

Distinguir el bien del mal

Dios nos permite elegir qué hacer. Esto se llama **libre albedrío**. El muchacho del relato sabía que había obrado mal. Se lo dijo su **conciencia**. Nuestra conciencia nos dice lo que está bien y lo que está mal.

Nuestra Iglesia nos enseña

Pecamos cuando elegimos hacer daño a propósito. Cuando pecamos, dañamos nuestra amistad con Dios y con los demás. Dios quiere que nos arrepintamos por nuestros pecados. Dios nos ama mucho. Cuando obramos mal, está dispuesto a mostrarnos misericordia. Está dispuesto a perdonarnos.

Creemos

Dios nos da conciencia a todos. Quiere que elijamos el bien y que nos alejemos del mal.

Palabras de fe

conciencia
Nuestra conciencia nos ayuda a distinguir el bien del mal.

pecar
Pecar es hacer cosas perjudiciales a propósito. Pecar es desobedecer a Dios.

Knowing Right from Wrong

God lets us choose what to do. We call this **free choice**. The boy in the story knew he had done wrong. His **conscience** told him so. Our conscience tells us what is right or wrong.

Our Church Teaches

We **sin** when we choose to do hurtful things on purpose. When we sin, we hurt our friendship with God and with other people. He wants us to be sorry for our sins. God loves us very much. When we do wrong, he is ready to show us mercy. God is ready to forgive us.

Faith Words

conscience
Our conscience helps us know right from wrong.

sin
To sin is to choose to do hurtful things on purpose. Sin is disobeying God.

Respondemos
Hacer buenas elecciones

La señora Rabbit dijo: "Peter, puedes jugar con tus hermanas afuera. ¡Pero manténganse alejados del huerto del señor McGregor!".

Las hermanas obedecieron a su madre. Pero Peter hizo una mala elección. Fue al huerto y se comió un montón de verduras. El señor McGregor lo vio y empezó a perseguirlo. Peter corrió a casa lo más rápido que pudo.

Peter se sintió mal por haber comido tanto. Así que la señora Rabbit le dio una bebida caliente y lo llevó a la cama. Peter se perdió una rica cena con su mamá y sus hermanas.

? ¿Qué mala elección hizo Peter?

Respond

Making Good Choices

Mrs. Rabbit said, "Peter, you and your sisters may play outdoors. But stay away from Mr. McGregor's garden!"

Peter's sisters obeyed their mother. Peter made a bad choice. He went into the garden and ate a lot of vegetables. Mr. McGregor saw Peter and began to chase him. Peter ran home as fast as he could.

Peter felt sick from eating so much. So Mrs. Rabbit gave him a warm drink. She put him to bed. He missed having a nice supper with his mom and his sisters.

? What bad choice did Peter make?

Actividad

Podemos hacer buenas elecciones todos los días. Ordena las letras para completar la frase de cada ilustración.

e a l r e p

a v r d e d

Joey elige no

Lily decide decir la

e l ___ ar, v ___ r ___ a d.

p o r m i c a r t

Tonya está feliz de

___ ompa ___ t i ___.

Activity

We can practice making good choices every day. Unscramble the letters to complete the sentence for each picture.

t h g i f

Joey chooses not to

__ __ __ __ __ .
__ i __ h __ .

r h a s e

Tonya is happy to

__ __ __ __ __ .
__ h __ r __ .

t r t u h

Lily decides to tell the

__ __ __ __ __ .
t __ __ t __ .

✝ Celebración de la oración

Oración en acción

Un tipo de oración es realizar buenas acciones.
Cuando actuamos bien, alabamos a Dios.
Le damos gracias por el don del libre albedrío.

Celebren hacer buenas elecciones.
Recen juntos esta oración.

Querido Dios:

Te damos gracias por el don
del libre albedrío.

Ayúdanos a usar este don
para elegir el bien.

Ayúdanos a (agrega tu propia acción).

Amén.

Prayer Celebration

A Prayer of Action

Doing good actions is a type of prayer.
When we act in good ways, we praise God.
We thank God for the gift of free choice.

Celebrate making good choices.
Pray this prayer together.

Dear God,

Thank you for the gift
of free choice.

Help us use this gift
to choose what is good.

Help us to (add own action).

Amen.

La fe en acción

El consejo parroquial Los miembros del consejo parroquial ayudan al párroco a hacer elecciones para la parroquia. Planean programas. Pueden decidir la manera de mejorar el edificio de la iglesia. El párroco y el consejo parroquial tratan de hacer buenas elecciones.

En la vida diaria

Actividad Algunas familias se reúnen para hacer elecciones. Escuchan las necesidades de los demás. Habla sobre las maneras en que las reuniones familiares pueden ser útiles.

En tu parroquia

Actividad Una parroquia ha elegido cómo gastar su dinero. Busca sus elecciones.

Ayudar a los desamparados

Un poni para montar

Plantar árboles

Tambores para todos

Alimentos para los hambrientos

Faith in Action

A Parish Council   Members of a parish council help the pastor. They help him make choices for the parish. They plan programs. They may decide ways to improve the church building. The pastor and the parish council try to make good choices.

In Everyday Life

Activity   Some families meet together to make choices. They listen to the needs of one another. Talk about ways family meetings can be helpful.

In Your Parish

Activity   One parish has chosen how to spend its money. Find their choices.

Help the Homeless

A Pony to Ride

Plant Trees

Drums for All

Food for Hungry

6 Celebramos el perdón de Dios

SEÑOR, eres bueno e indulgente.

Basado en el Salmo 86:5

Compartimos

A veces decimos o hacemos cosas que lastiman a los demás y podemos perder su amistad.

Ordena las ilustraciones. Escribe 1, 2, 3 y 4 en las casillas. Después lee el relato sobre perder un amigo y luego reconciliarse.

6 We Celebrate God's Forgiveness

LORD, you are kind and forgiving.

Based on Psalm 86:5

Share

Sometimes we say or do things that hurt other people.
We can lose their friendship.

Put the pictures in order. In the boxes write 1, 2, 3, and 4.
Then read the story about losing a friend and then making up.

Escuchamos y creemos

El culto Reconciliarse

El Sacramento de la **Reconciliación**, o la Penitencia, celebra el don del perdón de Dios. Sigue a Pat mientras celebra el sacramento.

Bienvenida El Padre Luis saluda a Pat. Hacen juntos la Señal de la Cruz.

Lectura El padre lee la Biblia. Pat escucha hablar del amor y el perdón de Dios.

Confesión Pat habla de sus pecados o los confiesa. Sabe que el Padre Luis no puede contarle a nadie lo que ella dice en la confesión. Él le pide que rece una oración o que realice una buena acción. Esto la reconciliará por lo que haya hecho mal. Esta oración o acción se llama **penitencia**.

Oración de arrepentimiento Pat reza una oración de arrepentimiento, llamada Oración del Penitente. Le dice a Dios que está arrepentida y que tratará de no pecar otra vez.

Absolución El Padre Luis le pide a Dios que perdone a Pat. Le da a Pat la **absolución** en el nombre del Padre, del Hijo y del Espíritu Santo. La absolución es el perdón de Dios a través del sacerdote. Luego el Padre Luis da gracias y dice: "Ve en paz". Pat contesta: "Amén".

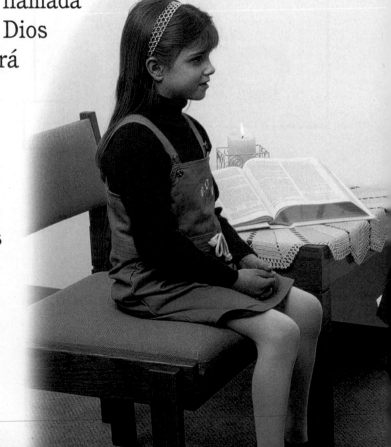

Hear & Believe

Worship Making Up

The Sacrament of Reconciliation, or Penance, celebrates the gift of God's forgiveness. Follow Pat through her celebration of the sacrament.

Welcome Father Lee greets Pat. Together they make the Sign of the Cross.

Reading Father reads from the Bible. Pat hears about God's love and forgiveness.

Confession Pat talks about, or confesses, her sins. She knows Father Lee cannot tell anyone what she says in confession. He asks Pat to say a prayer or do a kind act. This will make up for what she has done wrong. This prayer or action is called a **penance**.

Prayer of Sorrow Pat says a prayer of sorrow, called the Act of Contrition. She tells God she is sorry. She will try not to sin again.

Absolution Father Lee asks God to forgive Pat. He gives Pat **absolution** in the name of the Father, Son, and Holy Spirit. Absolution is the forgiveness of God, given through the priest. Then Father Lee gives thanks and says, "Go in peace." Pat answers, "Amen."

Un Sacramento de Curación

Cuando hemos pecado, necesitamos decir que estamos arrepentidos. Necesitamos pedir perdón. En la Reconciliación, Dios nos cura perdonando nuestros pecados. Dios nos da paz.

Nuestra Iglesia nos enseña

El Sacramento de la Reconciliación nos ayuda a hacer las paces con Dios y con la Iglesia Católica. El don de la **gracia** de Dios nos ayuda a estar alejados del pecado. La gracia es la presencia amorosa de Dios en nuestra vida.

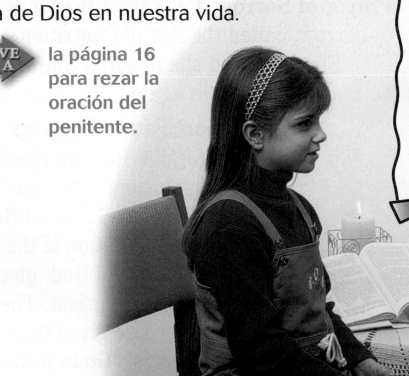

VEA la página 16 para rezar la oración del penitente.

Creemos

En el Sacramento de la Reconciliación celebramos el amor, la paz y el perdón de Dios.

Palabras de fe

Reconciliación
La Reconciliación es un Sacramento de Curación que celebra el amor y perdón de Dios.

absolución
La absolución es el perdón de Dios que el sacerdote nos da en el Sacramento de la Reconciliación.

A Sacrament of Healing

When we have sinned, we need to say we are sorry. We need to ask for forgiveness. In Reconciliation, God heals us by forgiving our sins. God brings us peace.

Our Church Teaches

The Sacrament of Reconciliation helps us make peace with God and the Catholic Church. The gift of God's **grace** helps us stay away from sin. Grace is God's loving presence in our lives.

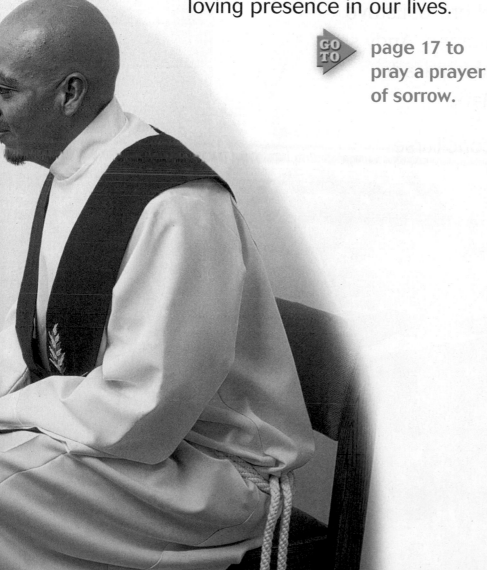

GO TO page 17 to pray a prayer of sorrow.

page 17 to pray a prayer of sorrow.

We Believe

In the Sacrament of Reconciliation, we celebrate God's love, peace, and forgiveness.

Faith Words

Reconciliation
Reconciliation is a Sacrament of Healing that celebrates God's love and forgiveness.

absolution
Absolution is the forgiveness of God through the priest in the Sacrament of Reconciliation.

Respondemos
Tiempo de perdonar

El padre de Andy y Mark les construyó una casita en el árbol. ¡Era una hermosa casita! Andy quería jugar ahí con sus amigos. No quería que su hermanito Mark estuviera con ellos.

Un día, Mark no pudo esperar más para jugar, así que subió por la escalera. "Ahora es mi turno", dijo.

Andy lo empujó. Mark se cayó de la escalera y se quebró el brazo. Estuvo enyesado por mucho tiempo. Andy se arrepintió de lo que había pasado. No quería lastimar a Mark.

? ¿Cómo podía reconciliarse Andy con Mark?

Respond

Time to Forgive

Andy and Mark's father built them a treehouse. It was a great treehouse! Andy wanted to play in it with his friends. He did not want his little brother Mark with them.

One day, Mark just could not wait any longer for his turn. So he climbed up the ladder. "It's my turn now," he said.

Andy pushed him away. Mark fell off the ladder and broke his arm. He had to wear a cast for a long time. Andy felt sorry for what happened. He did not mean to hurt Mark.

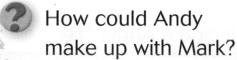 How could Andy make up with Mark?

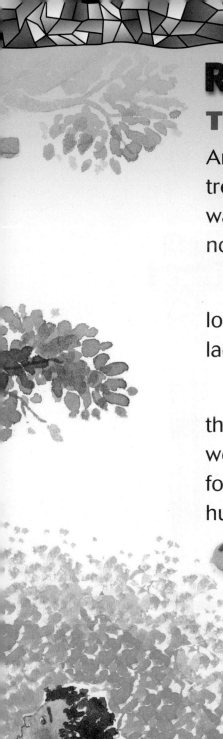

Actividades

1. Completa las frases con estas palabras de perdón.

Perdóname   **perdono**   **reconciliarse**

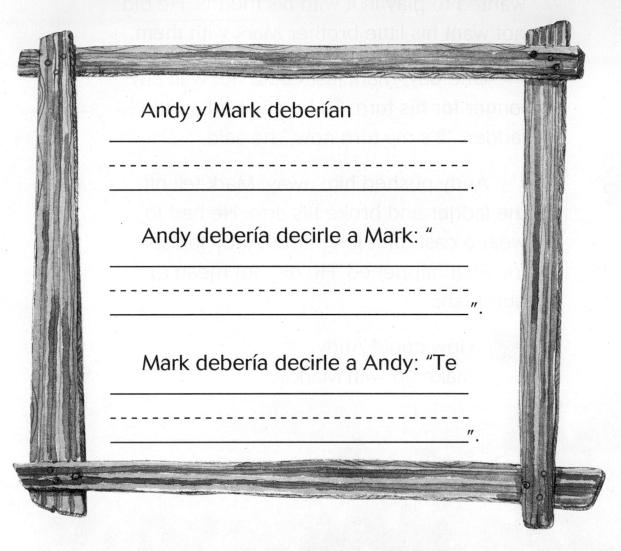

Andy y Mark deberían

_____

- -

_____ .

Andy debería decirle a Mark: "

_____

- -

_____ ".

Mark debería decirle a Andy: "Te

_____

- -

_____ ".

2. Escribe 1, 2, 3 y 4 para ordenar las partes
del Sacramento de la Reconciliación.

☐ rezas una oración
  de arrepentimiento

☐ te dan una
  penitencia

☐ recibes la absolución

☐ confiesas
  los pecados

Activities

1. Complete the sentences with these forgiveness words.

sorry **forgive** **make up**

Andy and Mark should
_____
- -
_____.

Andy should say to Mark, "I am
_____
- -
_____."

Mark should say to Andy, "I
_____
- -
_____ you."

2. Write 1, 2, 3, and 4 to put the parts of the Sacrament of Reconciliation in order.

☐ pray a prayer of sorrow   ☐ be given a penance

☐ receive absolution   ☐ confess sins

Celebración de la oración

Oración de Reconciliación

Durante la Misa, le decimos a Dios que nos arrepentimos de nuestros pecados. Le pedimos que tenga misericordia de nosotros. Le pedimos que nos perdone.

Líder: Señor Jesús, tú que nos ayudas a vivir en paz entre nosotros y con Dios Padre.

Todos: **Señor, ten piedad.**

Líder: Señor Jesús, tú que curas las heridas causadas por el pecado.

Todos: **Cristo, ten piedad.**

Líder: Señor Jesús, tú que pides por nosotros a tu Padre.

Todos: **Señor, ten piedad.**

Líder: Dios todopoderoso, tenga misericordia de nosotros, perdone nuestros pecados y nos lleve a la vida eterna.

Todos: **Amén.**

Ordinario de la Misa

Prayer Celebration

A Reconciliation Prayer

During Mass, we tell God we are sorry for our sins. We ask God to have mercy on us. We ask for forgiveness.

Leader: Lord Jesus, you help us live in peace with one another and with God the Father.

All: **Lord, have mercy.**

Leader: Lord Jesus, you heal the hurt that is caused by sin.

All: **Christ, have mercy.**

Leader: Lord Jesus, you pray to your Father for us.

All: **Lord, have mercy.**

Leader: May almighty God have mercy on us, forgive us our sins, and bring us to everlasting life.

All: **Amen.**

The Order of Mass

La fe en acción

El sacerdote   Un sacerdote sirve a su parroquia de muchas maneras. Lee y predica la Palabra de Dios. Ayuda a la gente cuando muere un ser querido. Visita a los enfermos en el hospital. Cuenta relatos sobre Jesús, que los niños disfrutan.

En la vida diaria

Actividad   ¿Cuándo has visto a un sacerdote de tu parroquia en un lugar que no fuera la iglesia?

En tu parroquia

Actividad   Une con una línea cada actividad con el lugar en que crees que el sacerdote la realiza.

andar en bicicleta

bautizar a un bebé

decir la Misa

comer pizza

jugar béisbol

confesar

EN LA IGLESIA

FUERA DE LA IGLESIA

Faith in Action

A Parish Priest A parish priest serves his parish in many ways. He reads the Word of God and preaches. A priest helps people when someone they love dies. He visits people in the hospital. Children enjoy stories the priest tells about Jesus.

In Everyday Life

Activity When have you seen a priest from your parish at a place other than church?

In Your Parish

Activity Draw a line from each activity to show when you think a priest would do it.

ride a bike

baptize a baby

say Mass

eat pizza

play baseball

hear confession

IN CHURCH

NOT IN CHURCH

7 Pensamos en nuestras elecciones

Muéstrame, SEÑOR, tus caminos.
Guíame en la bondad y la verdad.

Basado en el Salmo 25:4–5

Compartimos

A medida que crecemos, aprendemos a ser responsables de nuestras acciones. Somos responsables cuando realizamos nuestro trabajo. Somos responsables cuando cuidamos bien las cosas.

Marca con una (✓) las frases que dicen cómo puedes ser una persona responsable.

1. Alimento a mi mascota.

2. Ayudo a mamá y a papá.

3. Hago mi tarea.

4. Escucho a mi maestra.

5. Pierdo los libros de la biblioteca.

6. Cuelgo mi chaqueta.

Di otras maneras de mostrar que eres responsable.

7 We Think About Our Choices

Teach me, O LORD, your ways.
Guide me in goodness and truth.

Based on Psalm 25:4–5

Share

As we grow up, we learn to be responsible for our actions. We are responsible when we do our work. We are responsible when we take good care of things.

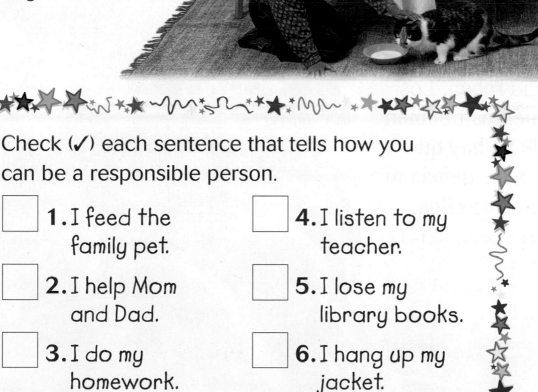

Check (✓) each sentence that tells how you can be a responsible person.

1. I feed the family pet.

2. I help Mom and Dad.

3. I do my homework.

4. I listen to my teacher.

5. I lose my library books.

6. I hang up my jacket.

Name other ways to show that you are responsible.

Escuchamos y creemos

✝ La Escritura Moisés en la montaña

Moisés estaba en la cima de una montaña cuando Dios le habló. Dios quería que todos llevaran vidas buenas. Le dio a Moisés las leyes llamadas los **Diez Mandamientos**. Estas leyes nos dicen que amemos y que respetemos a Dios y a los demás. Luego de recibirlas, Moisés bajó de la montaña y le habló al pueblo judío acerca de estas leyes de Dios.

Los Diez Mandamientos recuerdan a las personas que descansen y recen en el día del Señor. Les dicen que obedezcan a sus padres, y que no mientan ni roben. Los mandamientos también dicen que no hay que lastimar a los demás ni sentir celos de ellos.

Basado en Éxodo 20:1–17

Hear & Believe

✝ Scripture Moses on the Mountain

Moses was on a mountaintop when God spoke to him. God wanted to help everyone lead good lives. He gave Moses the laws called the **Ten Commandments**. These laws call for people to love and respect God and others. After receiving the laws, Moses went down the mountain. He told the Jewish people about these laws of God.

The Ten Commandments remind people to rest and pray on the Lord's day. They tell people to obey their parents, and to avoid telling lies or stealing. The commandments also say not to hurt other people nor be jealous of them.

Based on Exodus 20:1–17

Los Diez Mandamientos

Los Diez Mandamientos son las leyes de Dios. Dios le dio los Mandamientos a su pueblo para ayudarle a hacer buenas elecciones. Jesús aprendió estas leyes y se las enseñó a sus seguidores. Estas leyes ayudan a distinguir el bien del mal.

Nuestra Iglesia nos enseña

Cuando sabemos que algo está mal pero lo hacemos de todos modos, estamos pecando. El pecado nos aleja de Dios y de los demás. Los **pecados mortales** son pecados graves. Nos apartan de nuestra amistad con Dios. Los **pecados veniales** son pecados menos graves. Debilitan nuestra amistad con Dios, pero no nos la quitan.

Palabras de fe

pecados mortales
Los pecados mortales son pecados graves. Nos apartan de nuestra amistad con Dios.

pecados veniales
Los pecados veniales son pecados menos graves que debilitan nuestra amistad con Dios.

The Ten Commandments

The Ten Commandments are God's laws. God gave his people the Commandments to help them make good choices. Jesus learned these laws. He taught them to his followers. They help people know right from wrong.

Our Church Teaches

When we know that something is wrong, and we do it anyway, we sin. Sin turns us away from God and other people. **Mortal sins** are serious sins. They separate us from our friendship with God. **Venial sins** are less serious sins. They weaken our friendship with God, but do not take it away.

Respondemos
El examen de conciencia

Nos preparamos para celebrar el Sacramento de la Reconciliación. Pensamos en los Diez Mandamientos. Pensamos en si hemos respetado cada uno de ellos. Esto se llama examen de conciencia.

Las leyes de Dios	Mis acciones
1. Creer que hay un solo Dios.	¿Creo en Dios y amo a Dios con todo mi corazón?
2. Respetar el nombre de Dios.	¿Uso los nombres de Dios, Jesús, María y de los santos con respeto?
3. Ir a Misa los domingos.	¿Voy a Misa los domingos?
4. Respetar a tu padre y a tu madre.	¿Respeto y obedezco a mis padres?
5. Cuidar de todo lo creado por Dios.	¿Trato a todas las criaturas de Dios con respeto?
6. Tratar a tu cuerpo como si fuera un regalo de Dios.	¿Cuido bien de mi cuerpo y respeto el cuerpo de los demás?
7. Respetar la propiedad ajena.	¿He tomado algo que no me pertenece?
8. Decir siempre la verdad.	¿Miento a veces?
9. Respetar a las familias de los demás.	¿Trato a otras familias con respeto?
10. Estar contento con lo que se tiene.	¿Soy celoso o codicioso?

Respond

An Examination of Conscience

We prepare to celebrate the Sacrament of Reconciliation. We think about the Ten Commandments. We think about how well we have followed each one. This is called an examination of conscience.

God's Laws	My Actions
1. Believe that there is only one God.	Do I believe in God and love God with all my heart?
2. Respect the name of God.	Do I use the names of God, Jesus, Mary, and the saints with respect?
3. Go to Mass on Sunday.	Do I celebrate Mass on Sunday?
4. Respect your father and mother.	Do I respect and obey my parents?
5. Take care of all that God has made.	Do I treat all God's creatures with respect?
6. Treat your body as a gift from God.	Do I take good care of my body and respect the bodies of others?
7. Respect the property of others.	Have I taken something that belongs to someone else?
8. Always tell the truth.	Do I sometimes lie?
9. Respect the families of others.	Do I treat other families with respect?
10. Be content with what you have.	Am I ever jealous or greedy?

Los errores y los pecados no son la misma cosa. Puedes romper un vaso por error. Pecas cuando eliges hacer algo que sabes que está mal.

Actividad

Sigue el camino de piedras. Si la piedra menciona un error, coloréala de amarillo. Si menciona un pecado, coloréala de rojo.

1. ¡Uy! Derramé la salsa sobre mi suéter nuevo.

2. Robé la gorra favorita de mi hermano.

3. Tuve una gran pelea con un amigo.

5. Sentí celos de mi amigo porque tenía una bicicleta nueva.

4. Dejé la ventana abierta y entró la lluvia.

6. Mentí acerca de lo que sucedió con mi tarea.

7. Perdí el dinero del almuerzo.

8. Me olvidé de desearle feliz cumpleaños a mi primo.

Mistakes and sins are not the same. You might break a glass by mistake. You sin when you choose to do something you know is wrong.

Activity

Follow the stone path. If the stone tells about a mistake, color the stone yellow. If it tells about a sin, color the stone red.

1. Oops! I spilled gravy on my new sweater.

2. I stole my brother's favorite cap.

3. I had a big fight with a friend.

5. I was jealous of my friend's new bike.

4. I left the window open, and the rain came in.

6. I lied about what happened to my homework.

7. I lost my lunch money.

8. I forgot to wish my cousin a happy birthday.

✠ Celebración de la oración

Oración para pensar

Líder: Poder pensar es un don especial que Dios nos ha dado. Usamos este don cuando hacemos elecciones. Lo usamos en la oración para rogarle a Dios que perdone nuestros pecados.
Oremos.

Lado 1: Dios y Padre nuestro, a veces no nos hemos portado bien.

Todos: **Perdónanos y muéstranos tu misericordia.**

Lado 2: A veces hemos peleado.

Todos: **Perdónanos y muéstranos tu misericordia.**

Lado 1: A veces hemos sido perezosos.

Todos: **Perdónanos y muéstranos tu misericordia.**

Lado 2: A veces hemos mentido.

Todos: **Perdónanos y muéstranos tu misericordia. Amén.**

Basado en el Ritual de la Penitencia

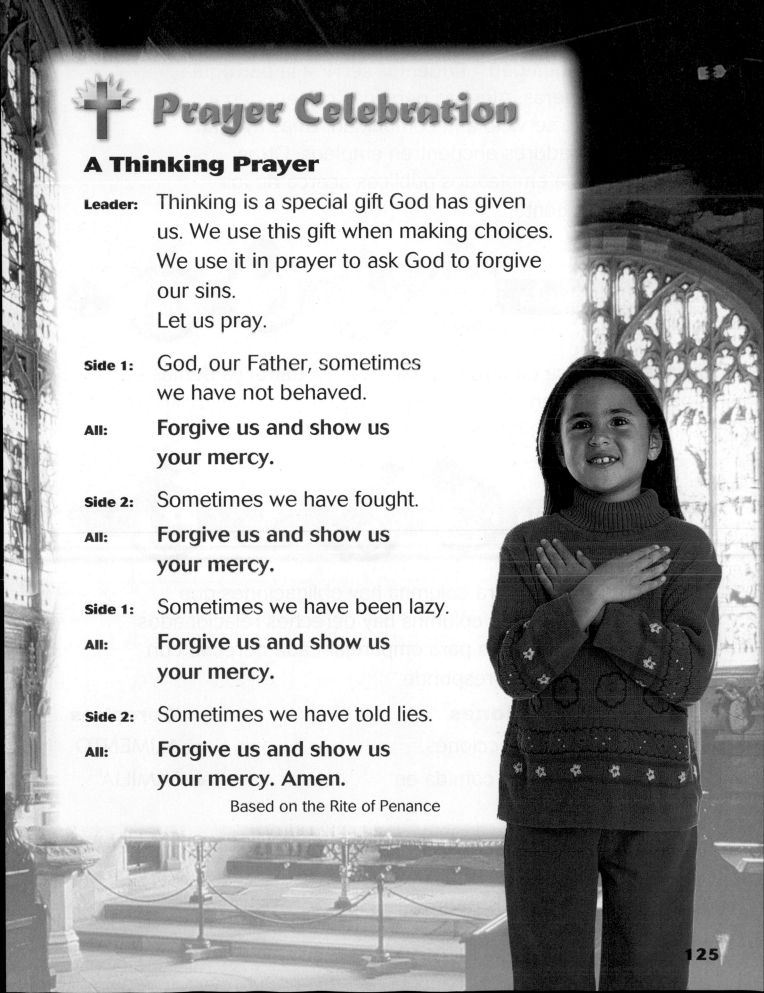

✝ Prayer Celebration

A Thinking Prayer

Leader: Thinking is a special gift God has given us. We use this gift when making choices. We use it in prayer to ask God to forgive our sins.
Let us pray.

Side 1: God, our Father, sometimes we have not behaved.

All: **Forgive us and show us your mercy.**

Side 2: Sometimes we have fought.

All: **Forgive us and show us your mercy.**

Side 1: Sometimes we have been lazy.

All: **Forgive us and show us your mercy.**

Side 2: Sometimes we have told lies.

All: **Forgive us and show us your mercy. Amen.**

Based on the Rite of Penance

La fe en acción

Servicio a la comunidad   Podemos servir a la parroquia de muchas maneras. Algunas personas pertenecen a un ministerio de servicio a la comunidad. Unas ayudan a que los trabajadores encuentren empleos. Otras escriben cartas a empleados públicos acerca de los derechos de la gente.

En tu parroquia

Actividad   Piensa en otras maneras de ayudar a los demás en tu parroquia. ¿Cuándo has tratado a alguien con imparcialidad? ¿Cómo has sido caritativo hacia los demás?

En la vida diaria

Actividad   En la primera columna hay obligaciones que tenemos. En la segunda columna hay derechos relacionados con ellas. Traza una línea para emparejar cada derecho con la obligación que le corresponde.

Obligaciones	Derechos
1. Carol estudia sus lecciones.	ALIMENTO
2. Ben no desperdicia comida en el almuerzo.	FAMILIA
3. Miguel va a la iglesia con su familia.	ESCUELA
4. Ann se ocupa de su casa.	VIVIENDA
5. Sandra respeta a sus padres.	RELIGIÓN

Faith in Action

Community Outreach There are many ways for people to serve their parish. Some people belong to a community outreach ministry. They help workers find jobs. They write letters to public officials about the rights people have.

In Your Parish

Activity Think about ways you help others in your parish. When have you treated someone fairly? How have you been kind to others?

In Everyday Life

Activity In the first column are duties we have. In the second column are rights to match them. Draw a line to match each right with the responsibility that fits it.

Duties		Rights
1. Carol studies her lessons.	•	• FOOD
2. Ben does not waste food at lunch.	•	• FAMILY
3. Miguel goes to church with his family.	•	• SCHOOL
4. Ann helps take care of her home.	•	• SHELTER
5. Sandra respects her parents.	•	• RELIGION

8 Pedimos perdón

OREMOS

Cuando un pecador pide perdón,
hay gran alegría en el cielo.

Basado en Lucas 15:7

Compartimos

Hay muchas maneras de pedir perdón.

Puedes decirlo con palabras como "Reconciliémonos".

Puedes decirlo con una acción, como un abrazo.

Di otra buena manera de pedir perdón.

Haz una tarjeta para decirle a alguien que te arrepientes de algo.

Escribe en letra de imprenta lo que quieres decir.

Querido _____ :

Con cariño,

8 We Say We Are Sorry

 **LET US PRAY**

When a sinner is sorry, there is great joy in heaven.

Based on Luke 15:7

Share

There are many ways to say "I'm sorry."
You can say it with words like "Let's make up."
You can say it with an action like a hug.
Tell another good way to say "I'm sorry."

Make a card to tell someone you are sorry
for something. Print what you want to say.

Dear _____,

Love,

Escuchamos y creemos

✝ La Escritura ¡Vuelvan a Dios!

Juan Bautista era un hombre santo. Les decía a los demás cómo encontrar el perdón de Dios.

Juan: ¡Vuelvan a Dios! Arrepiéntanse. ¡El Reino de Dios está cerca!

Mujer: ¿Qué significa arrepentirse?

Juan: Arrepentirse significa estar verdaderamente triste por haber pecado.

Niño: ¿Qué más significa arrepentirse?

Juan: Significa querer cambiar de verdad.

Niña: ¿Es todo lo que necesitamos hacer para volver a Dios?

Juan: No. También se debe cumplir una **penitencia**. La penitencia es una oración o una acción para compensar por el daño causado por el pecado.

Muchas personas oyeron las palabras de Juan. Confesaron sus pecados. Le dijeron a Dios que estaban arrepentidas. Después Juan las bautizó en el río.

Basado en Mateo 3:1–8

Hear & Believe

✝ Scripture Return to God!

John the Baptist was a holy man. He told other people how to find God's forgiveness.

John: Return to God! Repent. God's Kingdom is coming!

Woman: What does repent mean?

John: Repent means to be truly sorry for your sins.

Boy: What else does repent mean?

John: It means that you really want to change.

Girl: Is that all we need to do to return to God?

John: No. You must also do **penance**. Penance is a prayer or an act to make up for the harm caused by sin.

Many people heard John's words. They confessed their sins. They told God they were sorry. Then John baptized them in the river.

Based on Matthew 3:1–8

131

Volver a Dios

El pecado nos separa de Dios. Juan Bautista quería que las personas volvieran a Dios. Podemos hacerlo si le decimos que estamos arrepentidos de nuestros pecados. Cuando nos arrepentimos de nuestros pecados, sentimos **contrición**. *Contrición* significa "arrepentirse y querer estar alejado del pecado".

Nuestra Iglesia nos enseña

Para mostrar que nos arrepentimos de nuestros pecados, rezamos una **oración del penitente**. Es una oración de arrepentimiento, donde prometemos tratar de no pecar otra vez. Cuando nos arrepentimos de nuestros pecados, el Espíritu Santo nos ayuda a hacer el bien.

Creemos

Cuando pecamos, podemos volver a Dios. Le decimos que estamos arrepentidos. Le pedimos al Espíritu Santo que nos guíe. Decidimos no volver a pecar.

Palabras de fe

contrición
Contrición significa "arrepentirse y querer estar alejado del pecado".

oración del penitente
La oración del penitente es una oración para decirle a Dios que nos arrepentimos de nuestros pecados.

Returning to God

Sin separates us from God. John the Baptist wanted people to go back to God. We can return to God by telling him we are sorry for our sins. When we are sorry for our sins, we feel **contrition**. Contrition means to be sorry and to want to do better.

Our Church Teaches

To show that we are sorry for our sins, we pray an **act of contrition**. This is a prayer of sorrow. In this prayer we promise to try not to sin again. When we are sorry for our sins, the Holy Spirit helps us do better.

Respondemos
Un servicio de penitencia

Matt y Susan fueron a un servicio de penitencia. También fueron muchas otras personas. Todos habían ido para mostrar que querían volver a Dios. Escucharon un relato que Jesús había contado una vez. Se trata de un pastor y una oveja perdida.

Dios es como el pastor que tenía cien ovejas. Una se le perdió. El pastor fue a buscarla. Cuando la encontró, se puso muy contento. De la misma forma, hay gran alegría en el cielo cuando un pecador se arrepiente.

Basado en Lucas 15:4–7

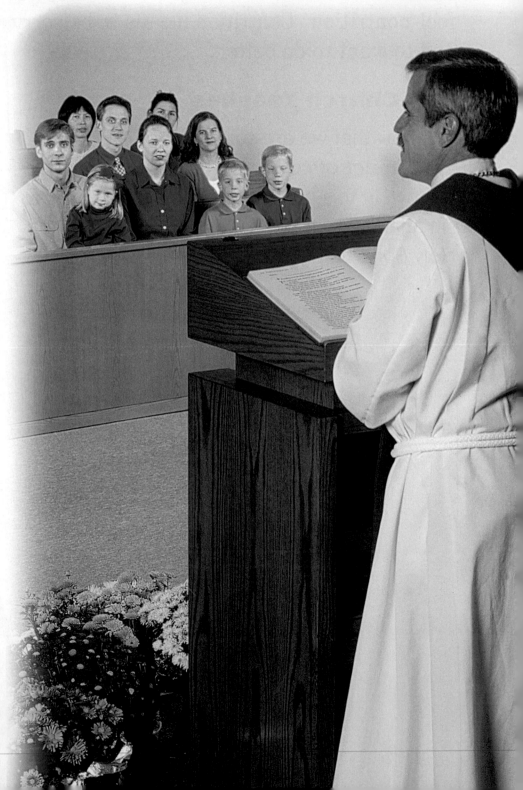

❓ ¿Por qué es éste un buen relato para un servicio de penitencia?

Respond
A Penance Service

Matt and Susan went to a penance service. Many other people were there, too. Everyone had come to show that they wanted to return to God. They listened to a story that Jesus once told. It is about a shepherd and a lost sheep.

God is like the shepherd who had one hundred sheep. One sheep got lost. The shepherd went to look for it. When he found the sheep, the shepherd was very happy. In the same way, there is great joy in heaven when a sinner repents.

Based on Luke 15:4–7

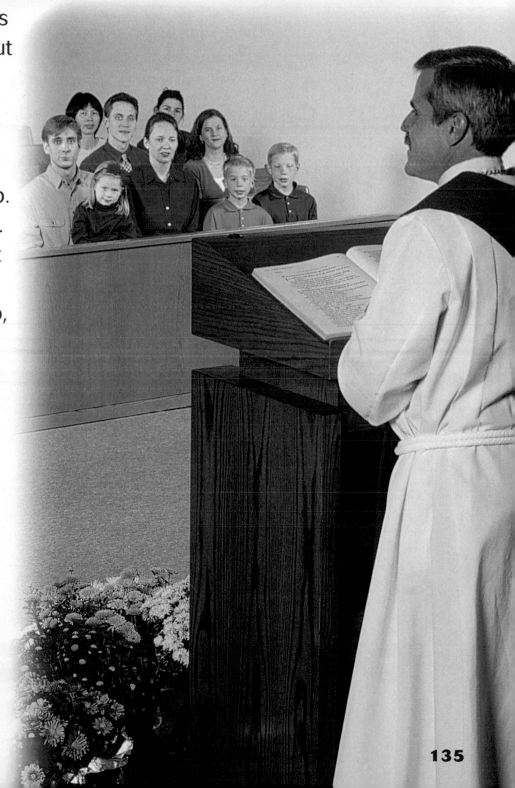

 Why is this a good story for a penance service?

135

Actividad

Usa el código secreto para escribir las letras que faltan.
Después lee la oración de arrepentimiento.

Código secreto

1	2	3	4	5	6	7	8	9	10	11	12	13
A	B	C	D	E	F	G	H	I	J	K	L	M

14	15	16	17	18	19	20	21	22	23	24	25	26
N	O	P	Q	R	S	T	U	V	W	X	Y	Z

__ __ __ __ __   __ __
16 1 4 18 5   13 5

__ __ __ __ __ __ __ __ __ __
1 18 18 5 16 9 5 14 20 15

__ __   __ __ __ __ __   __ __ __
4 5   20 15 4 15 19   13 9 19

__ __ __ __ __ __ __.
16 5 3 1 4 15 19

Activity

Use the secret code to write the missing letters.
Then read the prayer of sorrow.

Secret Code

1	2	3	4	5	6	7	8	9	10	11	12	13
A	B	C	D	E	F	G	H	I	J	K	L	M

14	15	16	17	18	19	20	21	22	23	24	25	26
N	O	P	Q	R	S	T	U	V	W	X	Y	Z

___ ___ ___ ___ ___ ___ ___,
6   1   20   8   5   18   9

___ ___ ___ ___ ___ ___ ___
1   13   19   15   18   18   25

___ ___ ___ ___ ___ ___
6   15   18   1   12   12

___ ___ ___ ___ ___ ___ .
13   25   19   9   14   19

Celebración de la oración

Oración del penitente

Líder: Una manera de volver a Dios es rezar una oración de arrepentimiento. Primero piensa en una forma en que tratarás de hacer el bien.

Todos: Dios mío, me arrepiento de todo corazón de todo lo malo que he hecho y de todo lo bueno que he dejado de hacer, porque pecando te he ofendido a ti, que eres el sumo bien y digno de ser amado sobre todas las cosas. Propongo firmemente, con tu gracia, cumplir la penitencia, no volver a pecar y evitar las ocasiones de pecado.

Basado en el Ritual de la Penitencia

Líder: Dios nos busca siempre que nos desviamos del camino recto y siempre está dispuesto a perdonarnos lo malo que hayamos hecho.

Todos: Amén.

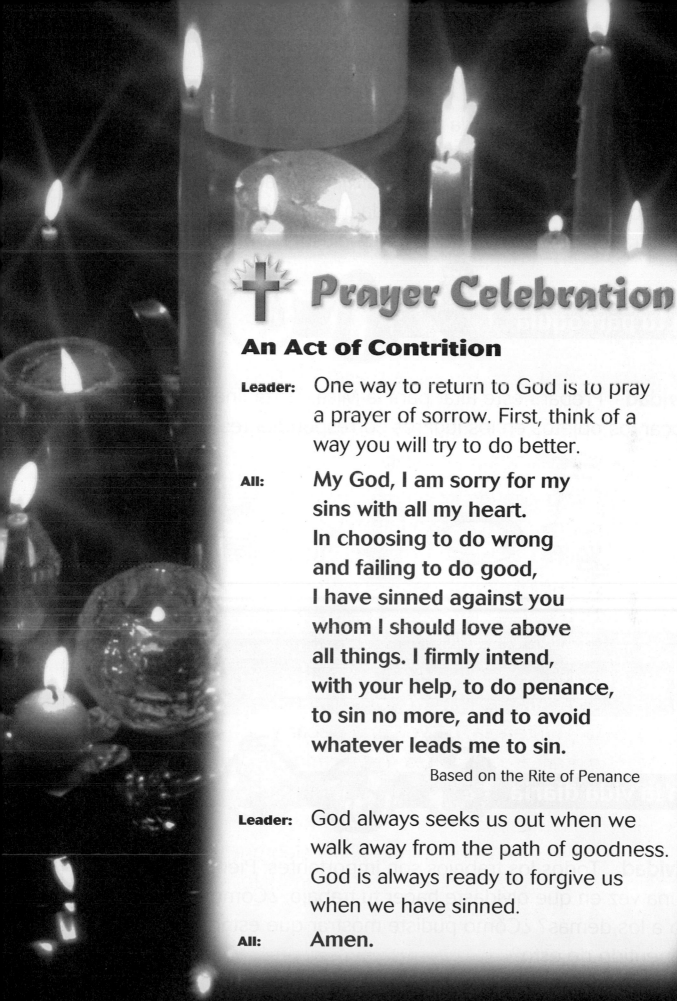

✝ Prayer Celebration

An Act of Contrition

Leader: One way to return to God is to pray a prayer of sorrow. First, think of a way you will try to do better.

All: My God, I am sorry for my sins with all my heart. In choosing to do wrong and failing to do good, I have sinned against you whom I should love above all things. I firmly intend, with your help, to do penance, to sin no more, and to avoid whatever leads me to sin.

Based on the Rite of Penance

Leader: God always seeks us out when we walk away from the path of goodness. God is always ready to forgive us when we have sinned.

All: Amen.

La fe en acción

El sacristán   Antes de cada Misa, el sacristán prepara todo para el sacerdote. Enciende las velas del altar y coloca cerca el cáliz. Abre las lecturas de la Misa en la página correspondiente. Este ministro ayuda a que la Misa se realice sin contratiempos. Es un ministro silencioso, pero importante.

En tu parroquia

Actividad   Prepara este altar para la Misa. Traza líneas para colocar los objetos en los lugares correspondientes.

En la vida diaria

Actividad   Todos los trabajos son importantes. Piensa en alguna vez en que olvidaste hacer tu trabajo. ¿Cómo afectó esto a los demás? ¿Cómo pudiste mostrar que estabas arrepentido de esto?

Faith in Action

A Sacristan   Before each Mass, a sacristan gets everything ready for the priest. The sacristan lights the candles on the altar and places the chalice nearby. Mass readings are opened to the right page. This minister helps the Mass go smoothly. This is a quiet but important ministry.

In Your Parish

Activity   Get this altar ready for Mass. Draw lines to put items in the right places.

In Everyday Life

Activity   Every job is important. Think of a time that you forgot to do your job. How did that affect others? How could you show you are sorry for this?

Celebramos la Palabra de Dios

La Palabra de Dios es Jesucristo entre nosotros. Cuando escuchamos las lecturas de la Sagrada Escritura, nos enseñan el camino del Evangelio. Nos inspiran a vivir como verdaderos seguidores de Jesús.

Otros granos, finalmente, cayeron en buena tierra y produjeron cosecha, unos el ciento, otros el sesenta y otros el treinta por uno. El que tenga oídos, que escuche.

Mateo 13:8–9

El granjero planta semillas que crecen y se convierten en alimento. Como las semillas, nuestra fe crece cuando escuchamos la Palabra de Dios.

We Celebrate the Word of God

The Word of God is Jesus Christ among us. When we listen to the Scripture readings, we are taught the way of the Gospel. We are inspired to live as true followers of Jesus.

But some seed fell on rich soil, and produced fruit, a hundred or sixty or thirtyfold. Whoever has ears ought to hear.

Matthew 13:8–9

The farmer plants seeds that will grow into food. Like seeds, our faith grows when we listen to God's Word.

Palabras de vida eterna

ESTRIBILLO BILINGÜE

Lord, you have the words of ev-er-last-ing life.

Tú tie-nes, Se-ñor, pa-la-bras de vi-da e-ter-na.

ESTROFAS

1. La ley del Señor es perfecta y_es descanso del alma;
   fieles las palabras del Señor, instruyen al ignorante.

2. Los mandatos del Señor son rectos y_alegran el corazón;
   Son luz los preceptos del Señor alumbrando_el camino.

3. La voluntad de Dios es santa y para siempre estable;
   los mandatos del Señor son verdaderos y_enteramente justos.

4. Más preciosos que_el oro y las piedras más finas;
   y más dulces que la miel de_un panal que gotea.

Texto: Salmo 19:8, 9, 10, 11; Tony E. Alonso, © 2003, GIA Publications, Inc.; trad. en inglés © 1969, ICEL;
    trad. en español y © admin. por Obra Nacional de la Buena Prensa
Música: Tony E. Alonso, © 2003, GIA Publications, Inc.

Words of Everlasting Life

BILINGUAL REFRAIN

Lord, you have the words of ev‑er‑last‑ing life.

Tú tie‑nes, Se‑ñor, pa‑la‑bras de vi‑da e‑ter‑na.

VERSES

1. The law of the Lord is perfect, refreshing the soul;
   The rule of the Lord is to be trusted, giving wisdom to the simple.

2. The precepts of the Lord are right, delighting the heart;
   the command of the Lord is clear, enlightening the eye.

3. The fear of the Lord is holy, enduring forever.
   The decrees of the Lord are true, all of them just.

4. They are more precious than gold, than the purest of gold;
   and sweeter are they than syrup, or honey from the comb.

Text: Psalm 19:8, 9, 10, 11; Tony E. Alonso, © 2003, GIA Publications, Inc.; English refrain trans. © 1969, ICEL;
    Spanish refrain trans. © admin. by Obra Nacional de la Buena Prensa
Music: Tony E. Alonso, © 2003, GIA Publications, Inc.

9 Aprendemos acerca del amor de Dios

Dios, el Señor, tomó a Adán y lo puso
en el jardín del Edén para que lo cuidara.

Basado en Génesis 2:15

Compartimos

El mundo que Dios creó tiene montañas, bosques y
desiertos. Tiene ríos, lagos y océanos.

La tierra también tiene muchas clases de plantas y
animales. Nombra algunas plantas y animales que conozcas.

Haz un dibujo de ti mismo cuidando
de algo que Dios creó.

9 We Learn About God's Love

The LORD God took Adam and settled him in the garden of Eden to care for it.

Based on Genesis 2:15

Share

The world that God created has mountains, forests, and deserts. It has rivers, lakes, and oceans.

The earth has many kinds of plants and animals, too. Name some plants and animals you know about.

Draw a picture of yourself taking care of something God created.

Escuchamos y creemos

✝ La Escritura Dios ama a toda la creación

Un día Jesús les contó a sus seguidores este relato sobre el amor de Dios.

"Algunos se preocupan por lo que comerán y beberán. Otros, por la ropa que usarán. Pero yo les digo que no se preocupen. En lugar de eso, fíjense en las aves del cielo. Dios las cuida. Fíjense en las flores del campo. Dios también las cuida.

"Por eso, tengan fe. Dios los ama más que a las aves y las flores. Él es un Padre amoroso que sabe lo que necesitan. Dios siempre los cuidará."

Basado en Mateo 6:25–34

Hear & Believe

✝ Scripture God Loves All Creation

One day, Jesus told his followers this story about God's love.

"Some people worry about what they will eat and drink. Other people worry about what clothes to wear. But I say, do not worry. Instead, look at the birds in the sky. God takes good care of them. Look at the flowers in the field. God takes good care of them, too.

"So have faith. God loves you even more than the birds and flowers. He is a loving Father who knows what you need. God will always take care of you."

Based on Matthew 6:25–34

Maneras de aprender acerca de Dios

Dios es el Creador de todas las cosas. En la **Biblia** leemos que hizo todas las cosas buenas. Dios promete cuidar de nosotros y nos pide que cuidemos de la creación. El relato que Jesús contó acerca de cuidar de la creación es de la Biblia. En la Biblia leemos la **Palabra de Dios**.

Nuestra Iglesia nos enseña

La Biblia también se llama la **Sagrada Escritura**. *Sagrada Escritura* significa "textos sagrados". En la Biblia están todas las enseñanzas de Jesús. Jesús es el **Hijo de Dios**.

 las páginas 7 a 10 para aprender más sobre la Biblia.

las páginas 7 a 10 para aprender más sobre la Biblia.

Creemos

Aprendemos en la Biblia acerca del amor de Dios por nosotros. Él hizo toda la creación buena. Tenemos que cuidar de la creación de Dios.

Palabras de fe

Biblia
La Biblia es la Palabra de Dios escrita.

Hijo de Dios
El Hijo de Dios es un nombre especial para Jesús. Jesús es el Hijo único de Dios.

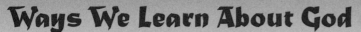

Ways We Learn About God

God is the creator of all things. In the Bible we read that he made all things good. God promises to take care of us. And, God asks us to take care of creation. The story Jesus told about taking care of creation is a Bible story. We read the **Word of God** in the Bible.

Our Church Teaches

The Bible is also called **Scripture**. Scripture means "holy writings." All the teachings of Jesus are in the Bible. Jesus is the **Son of God**.

GO TO pages 7–11 to learn more about the Bible.

We Believe

We learn about God's love for us from the Bible. He made all creation good. We are to care for God's creation.

Faith Words

Bible
The Bible is the written Word of God.

Son of God
Son of God is a special title for Jesus. Jesus is God's only Son.

Respondemos

Cuidar de la creación de Dios

En un terreno que antes estaba vacío, ahora hay un huerto comunitario. La familia de Pat y otros vecinos limpiaron el terreno. Removieron la tierra endurecida. Ahora cultivan allí flores, frutas y verduras. Hasta reciclan cosas para usar en el huerto. Estos vecinos muestran respeto por la tierra.

 ¿Cómo puedes cuidar de la creación de Dios?

Respond

Caring for God's Creation

Where there had once been an empty lot there is now a community garden. Pat's family and other neighbors cleaned up the lot. They broke up the hard soil. Now they grow flowers, fruits, and vegetables there. They even recycle things to use in their garden. These neighbors are showing respect for the earth.

 How can you care for God's creation?

Actividades

1. Aprende a decir con señas las palabras "Dios cuida de ti".

Dios   **cuida de**   **ti.**

2. Mira la palabra CREACIÓN. Piensa en algo que Dios hizo que empiece con cada letra. Escribe las palabras en los renglones. La primera ya está hecha.

Cielo

Reino

Estrella

Angel

C

I

Ó

N

Activities

1. Learn to sign the words "God cares for you."

God   **cares for**   **you.**

2. See the word CREATION below. Think of something God made that begins with each letter. Write the words on the lines. The first one is done for you.

Clouds

Rain

Earth

Angel

Train

I

O

N

Celebración de la oración

Salmo sobre la creación

Líder: Celebramos el don de la creación de Dios con esta oración de la Biblia. Con cada respuesta, levanten los brazos con las palmas hacia arriba.

Lector 1: Tú hiciste las nubes y el viento.

Lado 1: ¡Dios, qué grande eres!

Lector 2: Tú hiciste la tierra y los mares.

Lado 2: ¡Dios, tus obras son maravillosas!

Lector 3: Tú hiciste el sol y la luna.

Lado 1: ¡Dios, qué grande eres!

Lector 4: Tú hiciste los lagos y las montañas.

Lado 2: ¡Dios, tus obras son maravillosas!

Lector 5: Tú hiciste los árboles y las aves.

Lado 1: ¡Dios, qué grande eres!

Líder: ¿Cómo podemos celebrar el amor de Dios?

Todos: Cantaremos alabanzas a Dios.

Basado en el Salmo 104

Prayer Celebration

A Psalm about Creation

Leader: We celebrate God's gift of creation with this Bible prayer. For each response, lift your arms high with your palms facing up.

Reader 1: You made the clouds and wind.

Side 1: O God, you are great indeed!

Reader 2: You made the land and seas.

Side 2: O God, your works are wonderful!

Reader 3: You made the sun and moon.

Side 1: O God, you are great indeed!

Reader 4: You made lakes and mountains.

Side 2: O God, your works are wonderful!

Reader 5: You made trees and birds.

Side 1: O God, you are great indeed!

Leader: How can we celebrate God's love?

All: We will sing praise to God.

Based on Psalm 104

La fe en acción

Comité Green Thumbs En este comité trabajan juntos los ciudadanos mayores y los jóvenes. Los mayores saben cultivar plantas y árboles, pero la jardinería es una tarea pesada. Los jóvenes los ayudan. Juntos le muestran a Dios respeto por la creación.

En tu parroquia

Actividad Piensa en las maneras en que tu parroquia usa el don del agua. ¿Cómo usa el don del fuego?

En la vida diaria

Actividad Pon un ✔ a las cosas que ya haces por la Tierra.
Pon una ✘ a las cosas que no deberías hacer.
Pon un • a las cosas que harás.

Acciones	Hago ahora	No hago	Haré
Reciclar papel y plástico.			
Tirar latas vacías en el pasto.			
Plantar verduras y flores.			
Dejar la basura en el piso.			
Cuidar de las mascotas.			

Faith in Action

Green Thumbs Committee Senior citizens and young people work together on this committee. The older people are good at growing plants and trees. But, gardening is hard work. The young people help them. Together they show God respect for creation.

In Your Parish

Activity Think about ways your parish uses the gift of water. How does it use the gift of fire?

In Everyday Life

Activity Put a ✔ for things you already do for the Earth.
Put an ✘ for things you should not do.
Put a • for things you will do.

Actions	Do Now	Not Do	Will Do
Recycle paper and plastic.			
Throw empty cans on the grass.			
Plant vegetables and flowers.			
Leave trash on the floor.			
Take care of pets.			

10 Escuchamos la Palabra de Dios

OREMOS

Escuchar la Palabra de Dios es como construir una casa sobre roca.

Una casa como ésa no puede derrumbarse.

Basado en Mateo 7:24–25

Compartimos

A la mayoría de la gente le gusta escuchar un buen relato. El relato puede ser divertido, triste o hasta dar miedo. Para disfrutarlo, tenemos que prestar mucha atención.

1. ¿Quién es el mejor cuentista que conoces?

   Jesus

2. ¿Qué relato te gusta escuchar una y otra vez?

   de Jesus cvendo estava un bebeto

3. ¿Por qué te gusta este relato?

   porce Jesus es un bebe

10 We Listen to God's Word

Listening to God's Word is like building a house on rock.
A house like that will not fall down.

Based on Matthew 7:24–25

Share

Most people like hearing a good story. The story can be funny, sad, or even scary. To enjoy a story, we need to be good listeners.

1. Who is the best storyteller you know?

_____

_____

2. What story do you like to listen to again and again?

_____

_____

3. Why do you like this story?

_____

_____

_____

Escuchamos y creemos

El culto Un relato sobre las formas de escuchar

Un día Jesús contó este relato sobre las formas de escuchar la Palabra de Dios.

"Un granjero estaba sembrando semillas en su campo. Algunas cayeron en el camino, y las aves se las comieron. Algunas cayeron sobre las rocas y se secaron. Algunas cayeron entre los cardos, éstos crecieron y las ahogaron. Otras semillas cayeron en buena tierra. Echaron raíces, crecieron y dieron buenos frutos.

"Las personas se parecen a los lugares en que cayeron las semillas del granjero. Las que no tratan de entender la Palabra de Dios son como el camino. Algunas oyen la Palabra de Dios, pero sólo la recuerdan por un breve tiempo. Ellas son como las rocas. Algunas oyen la Palabra de Dios en la iglesia, pero la olvidan durante el resto de la semana. Son como la tierra con cardos. Otras personas escuchan la Palabra de Dios y realmente le prestan atención. Son como la buena tierra. En ellas crece la fe."

Basado en Mateo 13:1–9, 18–23

Hear & Believe

Worship A Story About Listening

One day, Jesus told this story about listening to the Word of God.

"A farmer scattered seeds in his field. Some seeds fell on a path. Birds ate them up. Some fell on rocks. They dried up and died. Some seeds fell among thorns. The thorns grew and choked the seeds. Other seeds fell on good soil. They took root, grew, and produced good fruit.

"People are like the places where the farmer's seeds fell. People who do not try to understand God's Word are like the path. Some hear God's Word but remember it only a short time. They are like the rocks. Some people hear God's Word in church. But, they forget about it the rest of the week. They are like the soil with thorns. Other people hear God's Word and really listen to it. They are like the good soil. Faith grows in them."

Based on Matthew 13:1–9, 18–23

163

Escuchar la Palabra de Dios

Este relato de la Biblia cuenta lo que pasa cuando realmente escuchamos la Palabra de Dios. Nuestra fe crece. En la Misa escuchamos la Palabra de Dios de la Biblia.

Nuestra Iglesia nos enseña

Los domingos, durante la **Liturgia de la Palabra**, escuchamos tres lecturas de la Biblia. La primera es del Antiguo Testamento. La segunda y la tercera son del Nuevo Testamento. La tercera es el **Evangelio**, que cuenta la historia de la vida de Jesús. Después del Evangelio, el sacerdote o el diácono da una charla llamada homilía. La **homilía** nos ayuda a entender las lecturas de la Biblia que acabamos de escuchar. Después todos rezamos el **Credo de Nicea**. Esta oración dice en qué creen los católicos.

 VEA la página 18 para rezar el Credo de Nicea y a las páginas 7 a 10 para aprender más sobre la Biblia.

Creemos

En la Misa escuchamos la Palabra de Dios. El Credo de Nicea habla del amor de Dios por nosotros. Dice en qué creemos.

Palabras de fe
Credo de Nicea
Los católicos dicen lo que creen cuando rezan el Credo de Nicea en la Misa.

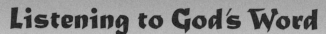

Listening to God's Word

This Bible story tells what happens when we really listen to God's Word. Our faith grows. At Mass we listen to God's Word from the Bible.

Our Church Teaches

During the **Liturgy of the Word** on Sunday, we listen to three Bible readings. The first one is from the Old Testament. The second and third readings are from the New Testament. The third reading is the **Gospel**. It tells the story of Jesus' life. After the Gospel, the priest or deacon gives a talk called a homily. The **homily** helps us understand the Bible readings we just heard. Then we all say the **Nicene Creed**. This prayer says what Catholics believe.

GO TO page 19 to pray the Nicene Creed and pages 7–11 to learn more about the Bible.

We Believe

At Mass we listen to God's Word. The Nicene Creed tells about God's love for us. It tells what we believe.

Faith Words

Nicene Creed Catholics tell what they believe when they pray the Nicene Creed at Mass.

Respondemos

Participamos en la Misa

Los domingos Juan participa en la Misa con la comunidad de la parroquia. Canta junto con los demás. A Juan le gusta escuchar relatos de la Biblia sobre Dios y Jesús. Sabe las respuestas a las lecturas de la Biblia.

Después de la primera y de la segunda lectura, el lector dice: "Palabra del Señor".

Juan y los demás contestan: "Demos gracias a Dios".

Todos se ponen de pie para el Evangelio. Después de la lectura, el sacerdote o el diácono dice: "Palabra del Señor".

Juan sabe la respuesta: "Gloria a ti, Señor Jesús".

Después Juan se sienta en silencio y escucha la homilía. Quiere aprender a ser como Jesús.

Respond

We Take Part at Mass

On Sundays, Juan takes part at Mass with the parish community. He joins others in singing. Juan likes hearing Bible stories about God and Jesus. He knows the responses to the Bible readings.

After the first and second Bible readings, the reader says, "The Word of the Lord."

Juan and others answer, "Thanks be to God."

Everyone stands for the Gospel. After the reading, the priest or deacon says, "The Gospel of the Lord."

Juan knows to answer, "Praise to you, Lord Jesus Christ."

Then Juan sits quietly and listens to the homily. He wants to learn how to be like Jesus.

Actividad

¿Qué palabra falta en cada frase?

1. La primera parte de la Misa es la Liturgia de la _Palabra_.

2. Después de la primera lectura decimos: " Demos _gracias_ a Dios".

3. El _Evangelio_ cuenta la Buena Nueva sobre la vida y las enseñanzas de Jesús.

4. Después del Evangelio decimos: "_gloria_ a ti, Señor Jesús".

5. La charla que el sacerdote o el diácono da se llama _homilía_.

6. El _Credo_ de Nicea es una oración sobre lo que creemos como católicos.

Ahora haz la sopa de letras. Encuentra las palabras que faltan y enciérralas en un círculo.

G	G	B	E	C	F	S	C	C
P	A	L	A	B	R	A	R	R
G	I	E	O	I	U	A	E	E
O	A	B	G	R	R	C	D	D
P	G	R	A	C	I	A	S	O
H	O	M	I	L	Í	A	Z	B
E	V	A	N	G	E	L	I	O

Activity

What word is missing in each sentence?

1. The first part of Mass is the Liturgy of the _____.

2. After the first reading we say, "_____ be to God."

3. The _____ tells the Good News about Jesus' life and teachings.

4. After the Gospel we say, "_____ to you, Lord Jesus Christ."

5. The talk given by the priest or deacon is called the _____.

6. The Nicene _____ is a prayer about what we believe as Catholics.

Now do the puzzle. Find and circle the missing words.

A	C	B	E	C	F	H	G
I	W	J	K	R	L	T	M
G	O	S	P	E	L	H	N
O	R	P	Q	E	R	A	S
U	D	T	V	D	X	N	Y
H	O	M	I	L	Y	K	Z
B	A	P	R	A	I	S	E

Celebración de la oración

Salmo Responsorial

Líder: En la Misa, después de la primera lectura, respondemos con una oración cantada. Este Salmo Responsorial es una parte de la Liturgia de la Palabra. Oremos juntos este salmo sobre la creación.

Lector 1: La semilla cayó en tierra buena y dio fruto.

Todos: **La semilla cayó en tierra buena y dio fruto.**

Lector 2: Tú cuidas de la tierra, la riegas y la enriqueces sin medida; la acequia de Dios va llena de agua, preparas los trigales.

Todos: **La semilla cayó en tierra buena y dio fruto.**

Lector 3: Tú preparas la tierra de esta forma: riegas los surcos, igualas los terrenos, tu llovizna los deja mullidos, bendices sus brotes.

Todos: **La semilla cayó en tierra buena y dio fruto.**

Basado en el Leccionario para las misas con niños

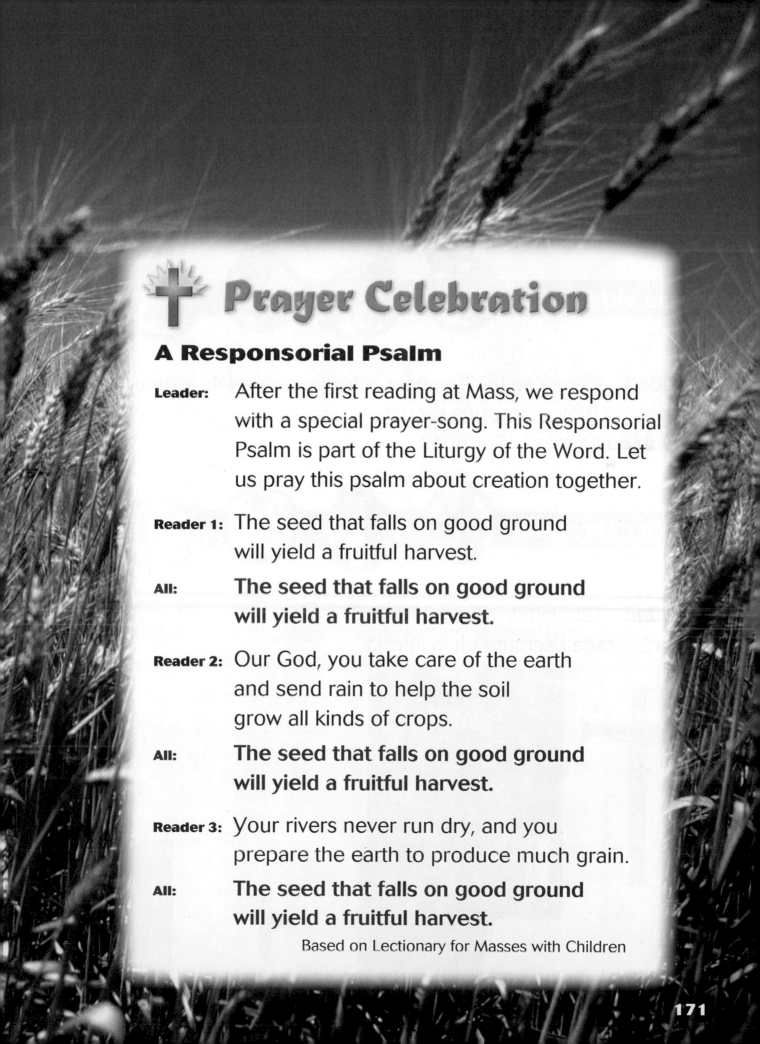

✝ Prayer Celebration

A Responsorial Psalm

Leader: After the first reading at Mass, we respond with a special prayer-song. This Responsorial Psalm is part of the Liturgy of the Word. Let us pray this psalm about creation together.

Reader 1: The seed that falls on good ground will yield a fruitful harvest.

All: **The seed that falls on good ground will yield a fruitful harvest.**

Reader 2: Our God, you take care of the earth and send rain to help the soil grow all kinds of crops.

All: **The seed that falls on good ground will yield a fruitful harvest.**

Reader 3: Your rivers never run dry, and you prepare the earth to produce much grain.

All: **The seed that falls on good ground will yield a fruitful harvest.**

Based on Lectionary for Masses with Children

La fe en acción

Lectores   Las personas que leen en la Misa la Sagrada Escritura a la comunidad se llaman lectores. Ellos practican la lectura de la Palabra de Dios en voz alta antes de la Misa. Leen con cuidado para que todos puedan entender los relatos de la Sagrada Escritura.

En la vida diaria

Actividad   Piensa en la diferencia entre leer un relato y oírlo. Lee un relato de la Biblia. Después escucha a alguien que lo lea en voz alta. ¿Qué te gusta más? ¿Por qué?

En tu parroquia

Actividad   Dibújate leyendo en voz alta la Sagrada Escritura en la iglesia.

Faith in Action

Lectors People who read Scripture to the community at Mass are called lectors. They practice reading God's Word out loud before Mass. They read carefully so everyone can understand the Scripture stories.

In Everyday Life

Activity Think about the difference between reading a story and hearing one. Read a Bible story. Then, listen to someone read it out loud. Which do you like best? Why?

In Your Parish

Activity Draw yourself reading Scripture out loud in church.

11 Obramos según la Palabra de Dios

Si creen en mí, harán las mismas obras que yo he hecho.

Basado en Juan 14:12

Compartimos

Tantas acciones
que realizamos.
Caminamos y corremos.
Tortas horneamos.

Tantas acciones
todos los días.
Reímos y cantamos.
Aprendemos y rezamos.

Imagínate a ti mismo en cada ilustración. ¿Qué harías? Escribe qué acción realizarías.

Yo _____

_____.

Yo _____

_____.

11 We Act on God's Word

If you believe in me, you will act as
I have acted.

Based on John 14:12

Share

So many actions
that we take.
We walk and ride.
We bake a cake.

So many actions
every day.
We laugh and smile.
We learn and pray.

Imagine yourself in each
picture. What would you do?
Write about an action
you would take.

I would

_____

- -

_____ .

I would

_____

- -

_____ .

Escuchamos y creemos

✝ La Escritura Cómo obran los cristianos

Jesús les dijo a sus seguidores: "Al final, volveré a la tierra y juzgaré a todas las personas. Las pondré en dos grupos. A las del primer grupo les diré: 'Se han portado bien. Quédense conmigo por siempre'. Pero a las del segundo les ordenaré: 'Váyanse. No quiero volver a verlas'".

Jesús dijo que el primer grupo había tratado a los demás como lo habrían tratado a Él. Les dieron alimentos a los que tenían hambre, agua a los que tenían sed, recibieron bien a los visitantes, compartieron su ropa con los que la necesitaban, cuidaron de los enfermos y fueron a visitar a los que estaban en la cárcel.

El primer grupo de personas obró según la Palabra de Dios. Jesús las recibirá para que se queden con Él por siempre.

Basado en Mateo 25:31–46

Hear & Believe

✝ Scripture How Christians Act

Jesus told his followers, "I will return to earth at the end of time. Then I will judge all the people in the world. I will put the people in two groups. To the first group I will say, 'You have done well. I invite you to stay with me forever.' But I will tell the second group, 'Go away. I don't want to see you again.'"

Jesus said that the first group had treated everyone as they would have treated him. They gave food to the hungry. They gave drink to people who were thirsty. They made new people feel at home. They shared their own clothes with people who needed them. They cared for the sick. And they visited people in prison.

The first group of people acted on God's Word. Jesus will welcome them to be with him forever.

Based on Matthew 25:31–46

La respuesta en acción

Jesús les mostró a sus seguidores cómo hay que vivir la Palabra de Dios. Les enseñó a las personas por medio de sus palabras y sus acciones. Nosotros mostramos nuestro amor por Dios en la manera como tratamos a los demás.

Nuestra Iglesia nos enseña

Jesús les dijo a sus seguidores que prestaran atención a las necesidades de los demás. Estas acciones se llaman **obras de misericordia**. Cuando ayudamos a los demás y les brindamos **servicio** amoroso, obramos como lo hizo Jesús.

Las obras de misericordia

Alimentar a los que tienen hambre.

Dar de beber a los que tienen sed.

Dar techo a los desamparados.

Dar ropa a los pobres.

Visitar a los enfermos.

Visitar a los que están en la cárcel.

Rezar por los que han muerto.

Responding in Action

Jesus showed his followers how to live God's Word. He taught people by his words and actions. We show our love for God by how we treat others.

Our Church Teaches

Jesus told his followers to take care of the needs of others. These actions are called **works of mercy**. When we help others in loving **service**, we act as Jesus did.

The Works of Mercy

Feed the hungry.

Give drink to the thirsty.

Shelter the homeless.

Give clothing to the poor.

Visit the sick.

Visit those in prison.

Pray for those who have died.

Respondemos
San Martín de Porres

San Martín vivió en Perú, Sudamérica, hace mucho tiempo. Quería obrar siempre según la Palabra de Dios. Así que se convirtió en un hermano que trabajaba para la Iglesia. Ningún trabajo era demasiado grande para el Hermano Martín. Ninguno, demasiado pequeño. Servía a Dios en todo lo que hacía.

¿Qué hacía el Hermano Martín? A veces llevaba alimento y medicamentos a los enfermos. Ayudaba a encontrar hogares para niños desamparados. Era amable con las personas que nadie más quería.

"¿Por qué haces estas cosas?", le preguntaron una vez.

"Veo la cara de Jesús en todas las personas", contestó. "Cuando muestro amor por los demás, muestro amor por Jesús".

El día festivo de San Martín de Porres es el 3 de noviembre.

❓ ¿Qué nos dice el relato de San Martín acerca de amar a los demás?

Respond

Saint Martin de Porres

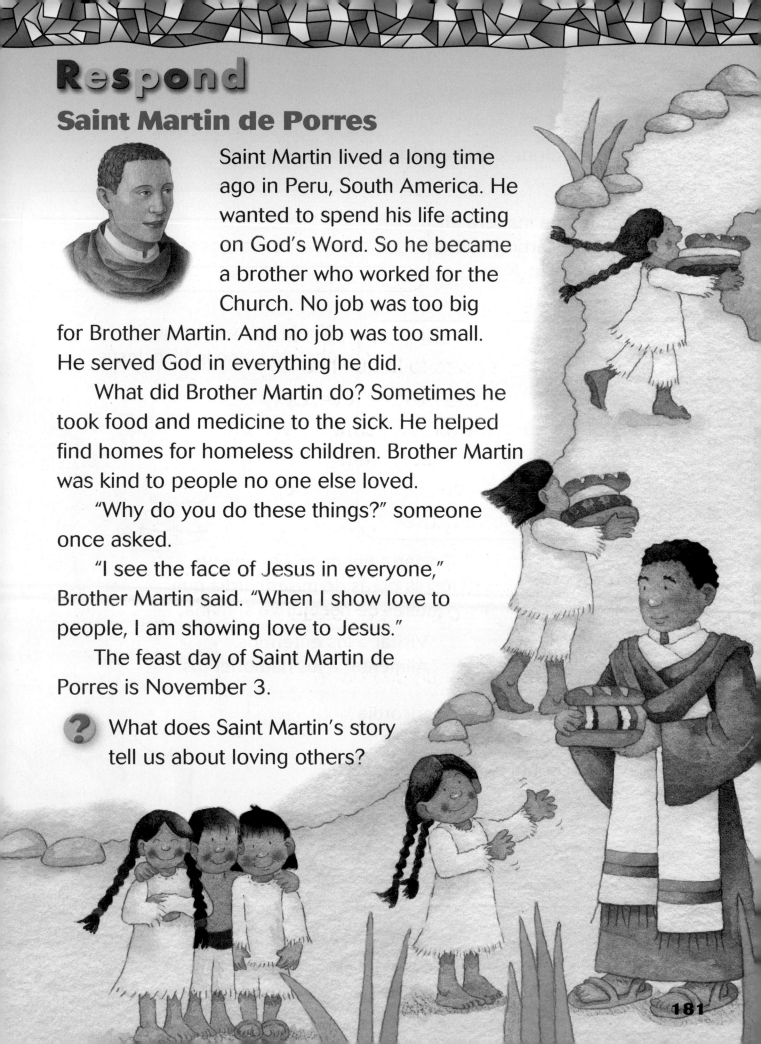

Saint Martin lived a long time ago in Peru, South America. He wanted to spend his life acting on God's Word. So he became a brother who worked for the Church. No job was too big for Brother Martin. And no job was too small. He served God in everything he did.

What did Brother Martin do? Sometimes he took food and medicine to the sick. He helped find homes for homeless children. Brother Martin was kind to people no one else loved.

"Why do you do these things?" someone once asked.

"I see the face of Jesus in everyone," Brother Martin said. "When I show love to people, I am showing love to Jesus."

The feast day of Saint Martin de Porres is November 3.

? What does Saint Martin's story tell us about loving others?

Actividad

Sigue las indicaciones que están en el camino.

Escribe una manera en que San Martín obraba como lo hizo Jesús.

_____

- -

_____

Dibuja una vez en que obraste como lo hizo Jesús.

Encierra en un círculo una de estas obras de misericordia que tratarás de hacer esta semana.

Visitar a los enfermos.
Alimentar a los hambrientos.

¿Qué obra de misericordia agregarías a la lista?

Escríbela en el siguiente cartel.

_____

- -

_____

_____

- -

_____

Activity

Follow the directions on the path.

Write one way that Saint Martin acted as Jesus did.

Draw about a time that you acted as Jesus did.

Circle one of these works of mercy that you will try to do this week.

Visit the sick.
Feed the hungry.

What work of mercy would you add to the list?

Write it on the sign below.

Celebración de la oración

Oración para escuchar

La Madre Cabrini y sus compañeras enseñaban a los niños en Italia. Cuidaban de los huérfanos y ayudaban a los enfermos. Después la Madre Cabrini vino a los Estados Unidos. Ayudó a muchas personas pobres que habían venido de Italia. Planeó la construcción de escuelas, orfanatos y hospitales. Santa Francisca Cabrini obró siempre según la Palabra de Dios, ayudando a los demás.

Escucha esta oración. Es parte de una oración que escribió Santa Francisca Cabrini.

Señor, me has hecho ver muchas cosas.
Veo que tú eres el que obras,
eres el que lo hace todo.
Yo no puedo hacer nada sin ti.
Estoy admirada por tus grandes
y hermosas obras. Amén.

Ahora lean todos la oración en voz alta.

Prayer Celebration

A Listening Prayer

In Italy, Mother Cabrini and her friends taught children. They cared for orphans, and helped the sick. Mother Cabrini later came to the United States. She helped many poor people from Italy. She planned the building of schools, orphanages, and hospitals. Saint Frances Cabrini spent her life acting on God's Word by helping others.

Listen to this prayer. It is part of a prayer that Saint Frances Cabrini wrote.

> Lord, you have made me see so many things.
> I see that you are the one who acts.
> You are the one who does everything.
> I can do nothing without you.
> I stand in wonder of your
> great and beautiful works. Amen.

Now read the prayer aloud together.

La fe en acción

Ministerio juvenil   En muchas parroquias los adolescentes pertenecen a un ministerio juvenil. Un ministro de juventud dirige al grupo. Los adolescentes participan en actividades espirituales y sociales. Encuentran maneras de ayudar a otros miembros de su parroquia y de su comunidad.

En tu parroquia

Actividad   Piensa en los adolescentes que participan en el ministerio juvenil de tu parroquia. ¿Qué les podrías preguntar acerca de su grupo?

En la vida diaria

Actividad   Lee las palabras de los globos. Encierra en un círculo la palabra o las palabras de cada globo que hablan sobre la ayuda. Coloca las letras subrayadas de esas palabras en las rayas.

1
cuidar niño<u>s</u>
dormir <u>h</u>asta tarde

2–3
mer<u>en</u>dar
cargar la compra del m<u>er</u>cado

4–5
<u>v</u>isitar a los enfermos
conversar con a<u>m</u>igos

6-7
re<u>c</u>iclar ba<u>su</u>ra

8
ha<u>c</u>er tonterías
recolectar aliment<u>os</u>

¿Qué pueden ofrecer los adolescentes a los demás?

___ ___ ___ ___ ___ ___ ___ ___
1   2   3   4   5   6   7   8

Faith in Action

Youth Ministry Teens in many parishes belong to a youth ministry. A youth minister leads the group. Teens take part in spiritual and social activities. They find ways to help others in their parish and their community.

In Your Parish

Activity Think about teens who are part of your parish youth ministry. What might you ask them about their group?

In Everyday Life

Activity Read the words in balloons. Circle the word or words in each balloon that are about helping. Put the underlined letters from the circled words on the lines.

What can teens offer to others?

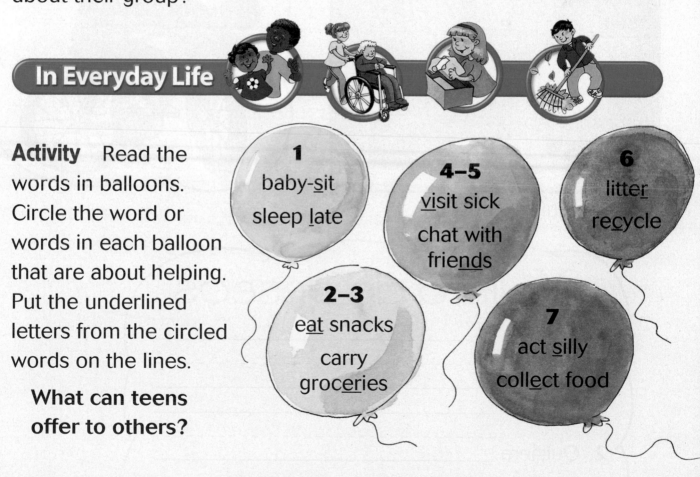

1
baby-_sit_
sleep _l_ate

2–3
_ea_t snacks
carry
groc_er_ies

4–5
_v_isit sick
chat with
fri_end_s

6
litte_r_
re_c_ycle

7
act _s_illy
coll_ec_t food

___ ___ ___ ___ ___ ___ ___
1   2   3   4   5   6   7

12 Rezamos por los demás

Dios, escúchame y contesta a mi oración.

Basado en el Salmo 17:6

Compartimos

¿Alguna vez hiciste una lista de cosas que te gustaría poder hacer? Podrías querer aprender a patinar sobre hielo. Quizá te gustaría ver el océano.

Escribe aquí tres deseos.

Mi lista de deseos

1. Quisiera _____.

2. Quisiera _____.

3. Quisiera _____.

12 We Pray for Others

 O God, hear me and answer my prayer.

Based on Psalm 17:6

Share

Have you ever made a list of things you wish you could do? You might want to learn to ice skate. Maybe you would like to see the ocean.

Write three of your wishes here.

My Wish List

1. I wish _____.

2. I wish _____.

3. I wish _____.

Escuchamos y creemos

✝ La Escritura Jesús y la oración

Jesús enseñó acerca de las clases de oración. Dijo que deberíamos pedirle a Dios lo que necesitáramos. "Pidan y recibirán", dijo. "Recen por lo que necesitan y Dios se lo dará".

Jesús también nos pidió que rezásemos por las necesidades de los demás. "Cuando se reúnan para rezar por los demás, yo estaré con ustedes", prometió. "Dios les dará lo que pidan en mi nombre".

La noche antes de morir, Jesús tuvo una comida especial con sus amigos. Esta comida se llama la **Última Cena**. Jesús bendijo el pan y el vino. Los compartió con sus amigos. Después rezó por ellos. "Padre, por favor, ayuda a mis amigos en su tarea. Ayúdalos a que les hablen a los demás de tu amor."

Basado en Mateo 7:7–8; Juan 16:23; 17:9–21

Hear & Believe

✝ Scripture Jesus and Prayer

Jesus taught about kinds of prayer. He said we should ask God for what we need for ourselves. "Ask, and you shall receive," Jesus said. "Pray for what you need, and God will give it to you."

Jesus also asked us to pray for the needs of other people. "When you come together to pray for others, I will be with you," Jesus promised. "God will give you whatever you ask for in my name."

On the night before he died, Jesus ate a special meal with his friends. This meal is called the **Last Supper**. Jesus blessed bread and wine. He shared it with his friends. Then Jesus prayed for them. "Father, please help my friends in their work. Help them tell others about your love."

Based on Matthew 7:7–8; John 16:23; 17:9–21

Clases de oración

Jesús les dijo a sus amigos que confiaran en Dios. Cuando rezamos por nosotros, sabemos que Dios nos contestará. Cuando rezamos por los demás, confiamos en que Dios los cuidará también.

Nuestra Iglesia nos enseña

Le pedimos a Dios Padre que nos ayude a ser buenos seguidores de Jesús. En la Misa rezamos por las necesidades de los demás. La Liturgia de la Palabra termina con la **Oración de los Fieles**. En esta oración rezamos por la gente de todo el mundo.

Creemos

Creemos que nuestro Padre celestial contesta a nuestras oraciones. Sabemos que Dios nos da lo que es verdaderamente bueno para nosotros.

Palabras de fe

Oración de los Fieles

La Oración de los Fieles es la última parte de la Liturgia de la Palabra, en la Misa. Rezamos por las necesidades de la gente de todo el mundo.

Kinds of Prayer

Jesus told his friends to place their trust in God. When we pray for ourselves, we know that God will answer us. When we pray for other people, we trust that God will care for them, too.

Our Church Teaches

We ask God the Father to help us be good followers of Jesus. We pray for the needs of others at Mass. The Liturgy of the Word ends with the **Prayer of the Faithful**. In this prayer, we pray for people everywhere.

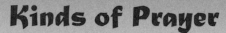

Respondemos
Las necesidades de los demás

Antes de que podamos rezar por los demás, tenemos que saber lo que necesitan. Las fotos de esta página cuentan historias. Habla de lo que necesitan las personas.

? ¿Cómo le pedirías a Dios que cuide de estas personas?

Respond
The Needs of Others

Before we can pray for others, we need to know what they need. The photos on this page tell stories. Talk about what the people need.

 How would you ask God to care for these people?

Actividades

La siguiente es una oración por las personas necesitadas.

> Por los que están enfermos,
> roguemos al Señor.

1. Usa tus propias palabras para completar estas oraciones por otras personas.

Por los _____ ,

roguemos al Señor.

Por los _____ ,

roguemos al Señor.

2. Colorea cada espacio que tenga una **X**. ¿Cuál es el mensaje escondido?

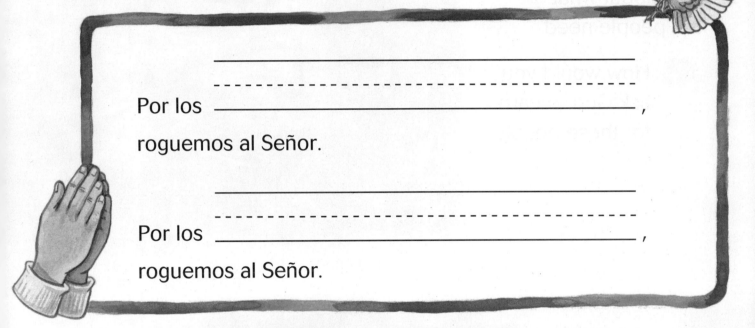

Activities

The prayer below is a prayer for people in need.
For those who are sick,
we pray to the Lord.

1. Use your own words to complete these prayers for other people.

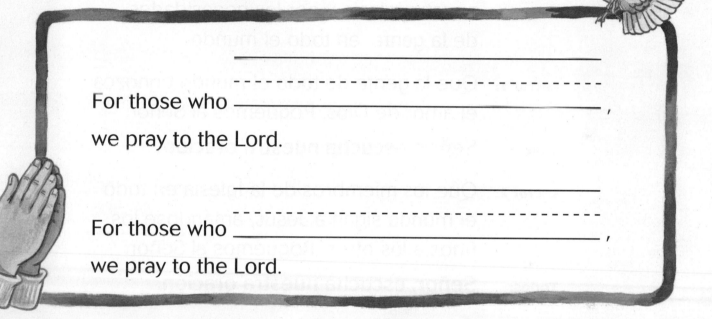

For those who _____,

we pray to the Lord.

For those who _____,

we pray to the Lord.

2. Color each space that has an **X**. What is the hidden message?

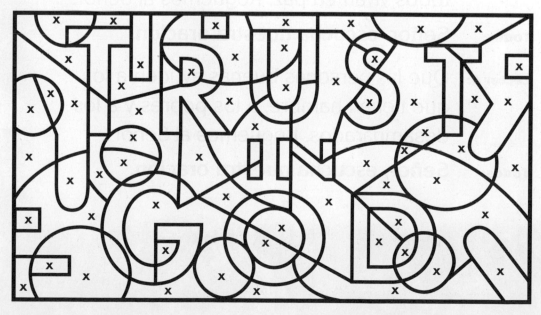

 # Celebración de la oración

Oración de los Fieles

Líder: Como pueblo de Dios, rezamos por nuestra Iglesia y por las necesidades de la gente, en todo el mundo.

Lector 1: Que la gente de todo el mundo conozca el amor de Dios. Roguemos al Señor.

Todos: **Señor, escucha nuestra oración.**

Lector 2: Que los miembros de la Iglesia en todo el mundo sigan a Jesús, amándose los unos a los otros. Roguemos al Señor.

Todos: **Señor, escucha nuestra oración.**

Lector 3: Que los líderes del mundo hagan buenas elecciones para ayudar a que todos vivan en paz. Roguemos al Señor.

Todos: **Señor, escucha nuestra oración.**

Lector 4: Que las personas buenas ayuden a los que tienen hambre, a los pobres y a los desamparados. Roguemos al Señor.

Todos: **Señor, escucha nuestra oración.**

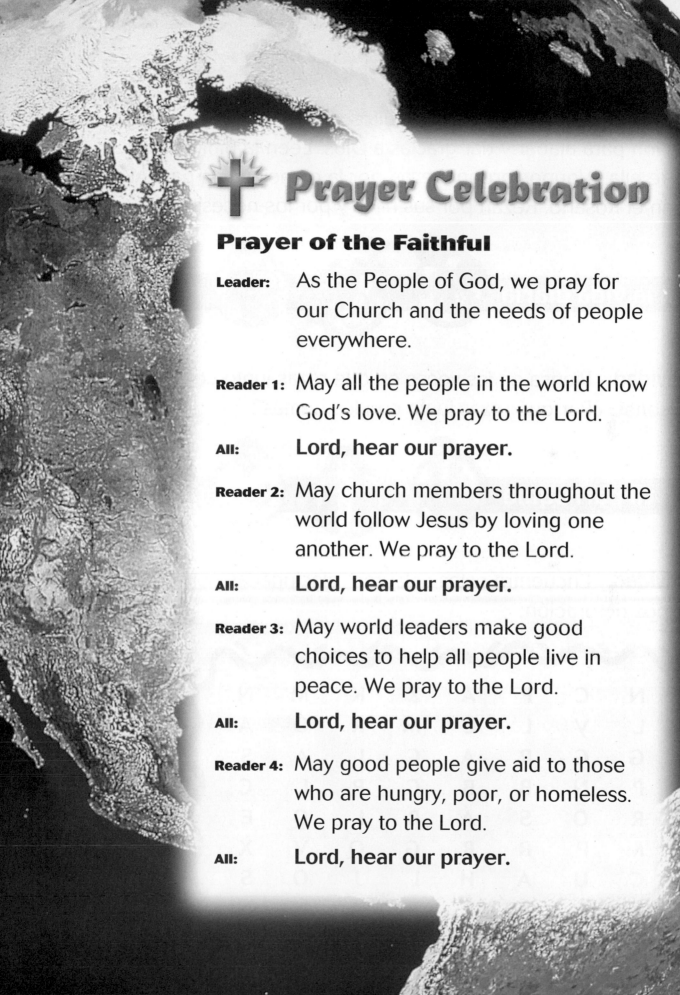

✝ Prayer Celebration

Prayer of the Faithful

Leader: As the People of God, we pray for our Church and the needs of people everywhere.

Reader 1: May all the people in the world know God's love. We pray to the Lord.

All: **Lord, hear our prayer.**

Reader 2: May church members throughout the world follow Jesus by loving one another. We pray to the Lord.

All: **Lord, hear our prayer.**

Reader 3: May world leaders make good choices to help all people live in peace. We pray to the Lord.

All: **Lord, hear our prayer.**

Reader 4: May good people give aid to those who are hungry, poor, or homeless. We pray to the Lord.

All: **Lord, hear our prayer.**

La fe en acción

Grupos de oración Algunos adultos se reúnen en grupos de oración para alabar y dar gracias a Dios. Leen la Biblia y hablan sobre ella. Algunos grupos rezan por la curación y la paz. Algunos rezan el Rosario. Rezan por sus hijos y por los necesitados.

En la vida diaria

Actividad Piensa en las veces en que rezas junto con otras personas. ¿Por qué rezas junto con los demás?

En tu parroquia

Actividad Encuentra estas palabras relacionadas con los grupos de oración:

N	C	P	A	Z	K	M	N		**ALABAR**
L	Y	L	L	M	R	Ó	A		**GRACIAS**
G	G	R	A	C	I	A	S		**PAZ**
P	N	B	B	C	R	L	C		**HIJOS**
R	O	S	A	R	I	O	E		**ROSARIO**
M	P	R	R	G	Q	V	X		**CURACIÓN**
C	U	A	H	I	J	O	S		
C	E	C	R	E	C	A	H	N	

Faith in Action

Prayer Groups Some adults come together in prayer groups to praise and thank God. They read and talk about the Bible. Some groups pray for healing and peace. Some meet to pray the Rosary. They pray for their children and people in need.

In Everyday Life

Activity Think of times when you pray together with other people. What do you pray for with others?

In Your Parish

Activity Find these words about prayer groups:

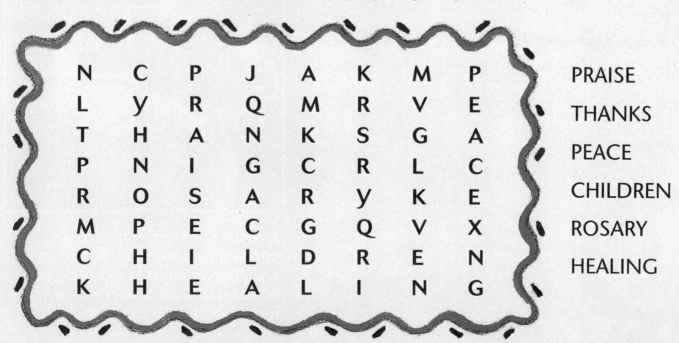

N	C	P	J	A	K	M	P
L	Y	R	Q	M	R	V	E
T	H	A	N	K	S	G	A
P	N	I	G	C	R	L	C
R	O	S	A	R	Y	K	E
M	P	E	C	G	Q	V	X
C	H	I	L	D	R	E	N
K	H	E	A	L	I	N	G

PRAISE

THANKS

PEACE

CHILDREN

ROSARY

HEALING

Celebramos el don de la Eucaristía

El regalo más importante que nos ha hecho Dios es su Hijo único, Jesucristo. Celebramos la Eucaristía para alabar y dar gracias a Dios por este regalo. Celebramos para participar de lleno en la vida de Cristo.

Yo soy el pan de vida. El que come de este pan nunca tendrá hambre.
Basado en Juan 6:35

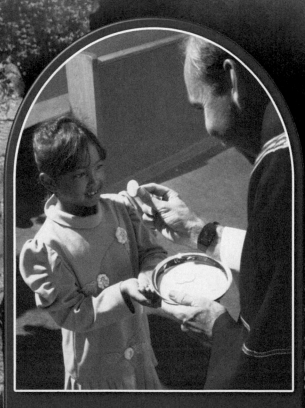

A Jesús lo enterraron en una tumba muy parecida a la que se ve aquí. Recordamos la muerte y la Resurrección de Jesús cada vez que recibimos la Sagrada Comunión.

We Celebrate the Gift of Eucharist

God's greatest gift to us is his only Son, Jesus Christ. We celebrate the Eucharist to praise and thank God for this gift. We celebrate to share more fully in the life of Christ.

I am the bread of life. Those who eat this bread will never be hungry.
Based on John 6:35

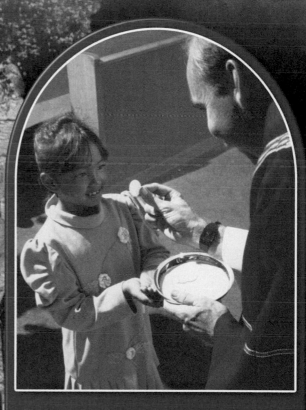

Jesus was buried in a tomb very much like the one shown here. We remember Jesus' death and Resurrection each time we receive Holy Communion.

203

Coman de este pan

ESTRIBILLO

Co - man de es - te pan, be - ban de es - te cá - liz,

ven - gan, — y no ten - drán ham - bre. Co - man de es - te pan,

be - ban de es - te cá - liz, cre - an, — y no ten - drán sed.

Texto: John 6; adapt. por Robert J. Batastini y Comunidad de Taizé; trad. por Ronald F. Krisman
Música: Jacques Berthier, 1923–1994
© 1984, 2005, Les Presses de Taizé, GIA Publications, Inc., agente

Eat This Bread

REFRAIN

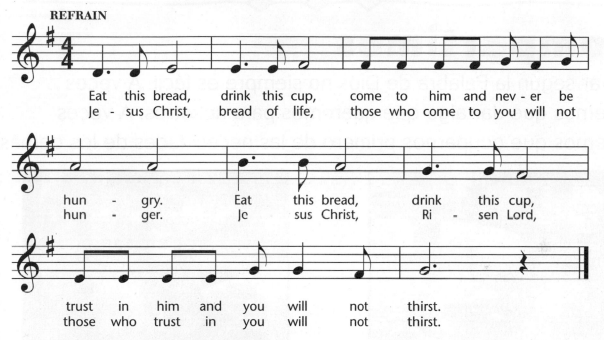

Eat this bread, drink this cup, come to him and nev - er be
Je - sus Christ, bread of life, those who come to you will not

hun - gry. Eat this bread, drink this cup,
hun - ger. Je sus Christ, Ri - sen Lord,

trust in him and you will not thirst.
those who trust in you will not thirst.

Text: John 6; adapt. by Robert J. Batastini and the Taizé Community
Tune: Jacques Berthier, 1923–1994
© 1984, 2005, Les Presses de Taizé, GIA Publications, Inc., agent

13 Jesús nos salva del pecado

 OREMOS

El amor más grande es dar la vida
por los amigos.

Basado en Juan 15:13

Compartimos

Obrar según la Palabra de Dios no siempre es fácil. A veces tenemos que dar algo que queremos para nosotros. A veces tenemos que ocuparnos primero de las necesidades de los demás.

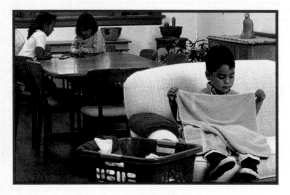

¿Qué está dando el niño?
¿Por qué lo hace?

¿Qué está dando la niña?
¿Por qué lo hace?

Haz un dibujo que muestre una vez en que diste algo.

13 Jesus Saves Us from Sin

 **LET US PRAY** The greatest love you can show is to give up your life for your friends.

Based on John 15:13

Share

Acting on God's Word is not always easy. Sometimes we have to give up what we want. Sometimes we have to put the needs of others first.

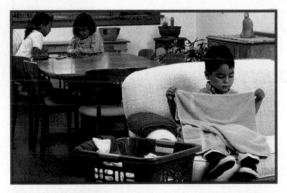

**What is the boy giving up?
Why is he doing this?**

**What is the girl giving up?
Why is she doing this?**

Draw a picture that shows a time when you gave up something.

Escuchamos y creemos

✝ La Escritura Jesús da su vida

Jesús dio su vida para salvarnos del pecado. Fue arrestado la noche en que compartía una comida especial con sus amigos. A la mañana siguiente los soldados hicieron que cargara una cruz de madera. Luego lo mataron en la cruz.

Después de la muerte de Jesús, algunos de sus amigos se llevaron el cuerpo. Lo pusieron en una tumba.

Tres días más tarde, unas amigas fueron a la tumba. Cuando llegaron, la tumba estaba vacía. Un ángel les contó que Jesús había vuelto de entre los muertos.

Basado en Marcos 14:46; 15:16–47; 16:1–6

Hear & Believe

✝ Scripture Jesus Gives Up His Life

Jesus gave up his life to save us from sin. Jesus was arrested the night he shared a special meal with his friends. The next morning, soldiers gave Jesus a wooden cross to carry. Then they put Jesus to death on the cross.

After Jesus died, some of his friends took his body away. They placed his body in a tomb.

Three days later, some women friends went to the tomb. When they got there, the tomb was empty. An angel told the friends that Jesus had been raised from the dead.

Based on Mark 14:46; 15:16–47; 16:1–6

Jesús, regalo de Dios

Jesús es el mayor regalo que Dios Padre nos ha hecho. Jesús dio su vida como **sacrificio** por nuestros pecados. Un sacrificio es un regalo especial que se da por amor.

A Jesús lo llamamos nuestro **Salvador**. Un salvador rescata a otros del peligro. Jesús murió en la cruz para salvarnos de nuestros pecados.

Nuestra Iglesia nos enseña

Tres días después de la muerte de Jesús, Dios lo devolvió a una nueva vida. Con su vida, su muerte y su **Resurrección**, Jesús nos mostró el amor de Dios. Recibimos la promesa de una nueva vida. La Resurrección de Jesús se celebra en la Pascua.

Creemos

Gracias a la Resurrección de Jesús, estamos libres del pecado. Con Jesús se nos promete una nueva vida.

Palabras de fe

sacrificio
El sacrificio es un regalo especial que se da por amor.

Resurrección
La Resurrección es la vuelta de Jesucristo de entre los muertos a una nueva vida.

God's Gift of Jesus

Jesus is God the Father's greatest gift to us. Jesus gave up his life as a **sacrifice** for our sins. A sacrifice is a special gift that is given out of love.

We call Jesus our **Savior**. A savior rescues others from danger. Jesus died on the cross to save us from our sins.

Our Church Teaches

Three days after Jesus' death, God raised Jesus to new life. By his life, death and **Resurrection**, Jesus showed us God's love. We received the promise of new life. On Easter we celebrate Jesus' Resurrection.

Respondemos

Santa Isabel de Hungría

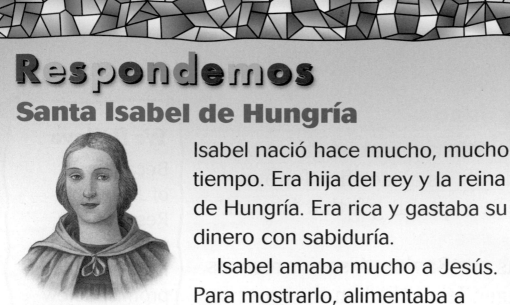

Isabel nació hace mucho, mucho tiempo. Era hija del rey y la reina de Hungría. Era rica y gastaba su dinero con sabiduría.

Isabel amaba mucho a Jesús. Para mostrarlo, alimentaba a las personas pobres que tenían hambre. Cuidaba de los enfermos y de las personas que estaban solas. Gracias a Isabel, se construyeron hospitales en dos ciudades. Para ayudar a los pobres, vendió sus lujosos vestidos y sus joyas. Les dio todo lo que tenía a las personas necesitadas.

? ¿Por qué Santa Isabel de Hungría hacía sacrificios?

Respond
Saint Elizabeth of Hungary

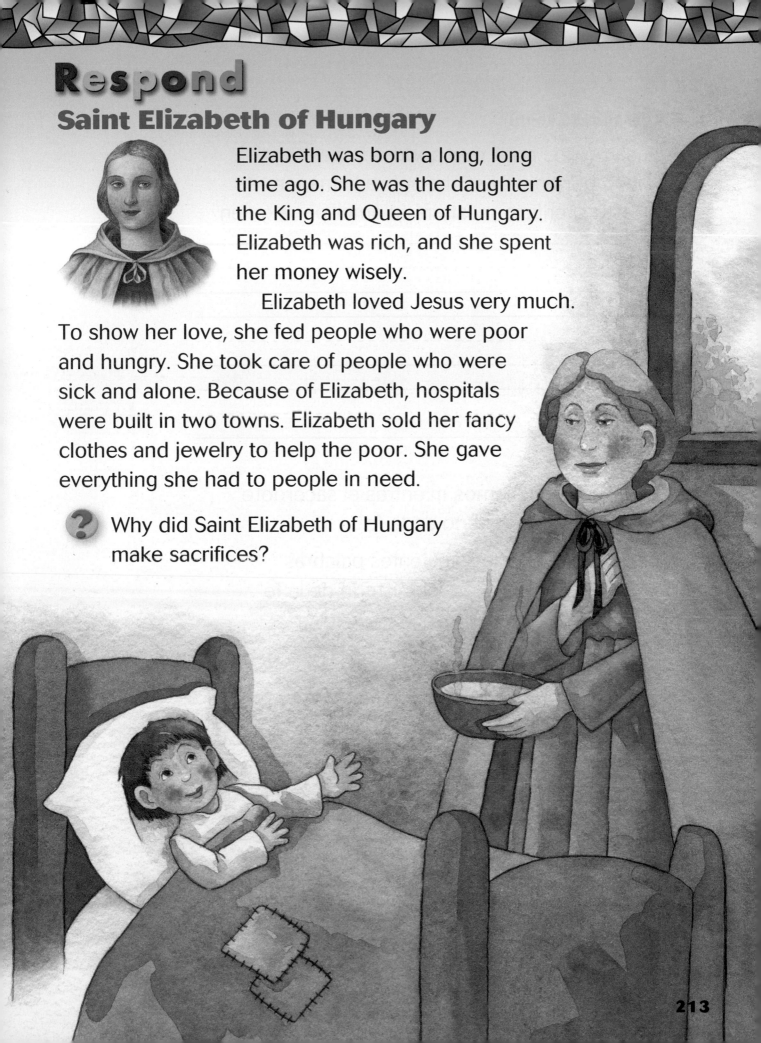

Elizabeth was born a long, long time ago. She was the daughter of the King and Queen of Hungary. Elizabeth was rich, and she spent her money wisely.

Elizabeth loved Jesus very much. To show her love, she fed people who were poor and hungry. She took care of people who were sick and alone. Because of Elizabeth, hospitals were built in two towns. Elizabeth sold her fancy clothes and jewelry to help the poor. She gave everything she had to people in need.

? Why did Saint Elizabeth of Hungary make sacrifices?

Actividades

1. Piensa en una cosa que podrías hacer esta semana por amor. Escribe sobre la manera en que este sacrificio mostrará tu amor por alguien.

_____

- - - - - - - - - - - - - - - - - - -

_____

- - - - - - - - - - - - - - - - - - -

_____

- - - - - - - - - - - - - - - - - - -

_____

- - - - - - - - - - - - - - - - - - -

_____

2. En la Misa escuchamos mientras el sacerdote reza: "Éste es el Misterio de la fe".

Traza con un lápiz las siguientes palabras punteadas. Encontrarás "el Misterio de la fe".

Señor, por medio de

tu cruz y tu

Resurrección nos has

liberado. Tú eres el

Salvador del mundo.

Activities

1. Think of one loving thing you could do this week. Write about how this sacrifice will show your love for someone.

_____

- - - - - - - - - - - - - - - - - - -

_____

- - - - - - - - - - - - - - - - - - -

_____

- - - - - - - - - - - - - - - - - - -

_____

2. At Mass we listen as the priest prays, "Let us proclaim the mystery of faith."

Trace over the dotted words below. You will find "the mystery of faith."

Lord, by your cross
and Resurrection
you have set us
free. You are the
Savior of the world.

✝ Celebración de la oración

Oración de fe

Líder: Durante la Misa recordamos el sacrificio de Jesús por nosotros. El sacerdote dice: "Éste es el Misterio de la fe". Nosotros respondemos con una oración especial de fe.

Todos: **Anunciamos tu muerte, proclamamos tu resurrección. ¡Ven, Señor Jesús!**

Prayer Celebration

A Prayer of Faith

Leader: During the Mass we remember Jesus' sacrifice for us. The priest says, "Let us proclaim the mystery of faith." We respond with a special prayer of faith.

All: We proclaim your Death, O Lord, and profess your Resurrection until you come again.

La fe en acción

Club cultural   Algunas familias pertenecen a un club cultural de su parroquia. En este club aprenden acerca de las personas de otras culturas. Los miembros eligen una cultura y leen sus historias preferidas. Aprenden qué tipo de ropa se lleva en ocasiones especiales. Cantan canciones en diferentes idiomas. A veces las familias comparten alimentos típicos de distintas culturas.

En tu parroquia

Actividad   Piensa en personas de otros lugares que hayan visitado tu parroquia o se hayan unido a ella. ¿De qué estados o países venían?

En la vida diaria

Actividad   Ordena las siguientes palabras. Úsalas para completar la frase.

DARCUINOS

Tenemos que ____ ____ ____ ____ ____ ____ ____ ____

SUON   TORSO

los ____ ____ ____ ____ a los ____ ____ ____ ____.

Faith in Action

Culture Club Some families belong to a culture club in their parish. In this club, they learn about people from other cultures. Club members choose a culture and read favorite stories from it. They learn about types of clothing people may wear for special occasions. They sing songs in different languages. Sometimes the families share foods from different cultures together.

In Your Parish

Activity Think about people who have visited or joined your parish from other places. From what states or countries did they come?

In Everyday Life

Activity Unscramble the words below. Use them to finish the sentence.

LAL   KETA

We ____ ____ ____ are called to ____ ____ ____ ____

ERCA   OHTRE

____ ____ ____ ____ of each ____ ____ ____ ____.

14 Recibimos el regalo de Jesús

OREMOS

Yo soy el pan de vida. El que viene
a mí nunca tendrá hambre.

Basado en Juan 6:35

Compartimos

Todos necesitamos alimentos y agua para
estar sanos. Pero también tenemos otras
necesidades o deseos. Mira estas ilustraciones.
¿De qué tiene deseos cada persona?

Rosemary está muy, muy
cansada. Tiene deseos de

_____

_____.

Matt no ha comido nada desde
el almuerzo. Tiene deseos de

_____

_____.

Luis no puede rastrillar todas estas
hojas. Tiene deseos de que lo

_____

_____.

14 We Receive the Gift of Jesus

 **LET US PRAY** I am the bread of life. Those who come to me will never be hungry.

Based on John 6:35

Share

We all need food and water to stay healthy. But we have other needs, or hungers, too. Look at these pictures. How is each person hungry?

Rosemary is very, very tired. She is hungry for

_____

- -

_____.

Matt has not eaten since lunch. He is hungry for

_____

- -

_____.

Luis can't rake all these leaves. He is hungry for

_____

- -

_____.

Escuchamos y creemos

 El culto El don de la Eucaristía

La segunda parte de la Misa es la **Liturgia Eucarística**. Ofrecemos los dones del pan y del vino. Recordamos la Última Cena. El sacerdote prepara los dones para la celebración de la Eucaristía. Reza:

La noche antes de morir por nosotros, Jesús tuvo una cena especial con sus amigos. Tomó el pan y le dio gracias a Dios Padre. Partió el pan, se lo dio a sus amigos y les dijo:

"Tomad y comed todos de él, porque esto es mi Cuerpo, que será entregado por vosotros".

De la misma forma tomó una copa de vino. Dio gracias a Dios, les dio la copa a sus amigos y les dijo:

"Tomad y bebed todos de él, porque éste es el cáliz de mi Sangre, que será derramada por vosotros y por todos los hombres para el perdón de los pecados".

Después les dijo:

"Haced esto en conmemoración mía".

Basado en la Plegaria Eucarística
para Misas con niños III

Hear & Believe

🕯 Worship The Gift of Eucharist

The second part of Mass is the **Liturgy of the Eucharist**. We offer gifts of bread and wine. We remember the Last Supper. The priest prepares the gifts for the celebration of Eucharist. He prays:

On the night before he died for us, Jesus had a special supper with his friends. He took bread and gave thanks to God his Father. He broke the bread and gave it to his friends, saying:

"TAKE THIS, ALL OF YOU, AND EAT IT, FOR THIS IS MY BODY WHICH WILL BE GIVEN UP FOR YOU."

In the same way he took a cup of wine. He gave thanks to God and handed the cup to his friends, saying:

"TAKE THIS, ALL OF YOU, AND DRINK FROM IT, FOR THIS IS THE CHALICE OF MY BLOOD, THE BLOOD OF THE NEW AND ETERNAL COVENANT, WHICH WILL BE POURED OUT YOU AND FOR MANY FOR THE FORGIVENESS OF SINS."

Then he said to them,

"DO THIS IN MEMORY OF ME."

Based on Eucharistic Prayer III, Roman Missal

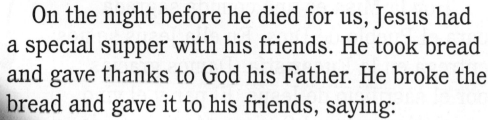

La comida del Pueblo de Dios

Durante la Misa recordamos la Última Cena de Jesús. En esa cena Jesús convirtió el pan y el vino en su Cuerpo y su Sangre. En la Misa también recordamos la muerte y la Resurrección de Jesucristo.

Hoy la Misa es una comida sagrada para el Pueblo de Dios. En ella Jesús se nos entrega en la **Eucaristía**. Damos gracias por el sacrificio de Jesús. El pan y el vino se convierten en el Cuerpo y la Sangre de Jesucristo a través del Espíritu Santo.

 las páginas **384** y **386** para aprender más sobre la Liturgia Eucarística.

Nuestra Iglesia nos enseña

Sólo un sacerdote puede dirigir la celebración de la Eucaristía. Recibimos el Cuerpo y la Sangre de Cristo en la **Sagrada Comunión**. La Eucaristía nos une a Jesús, el Pan de Vida. Él nos fortalece.

Creemos

Cristo está presente en la Misa en el pan y el vino. En ellos, Cristo, el Pan de Vida, se nos entrega.

Palabras de fe

Eucaristía
La Eucaristía es un sacrificio y una comida especial de acción de gracias. Recibimos el Cuerpo y la Sangre de Cristo.

The Meal of God's People

During Mass we remember Jesus' Last Supper. At that meal, Jesus changed bread and wine into his Body and Blood. At Mass we also remember the death and Resurrection of Jesus Christ.

The Mass is a holy meal for the People of God today. At Mass Jesus gives us himself in the **Eucharist**. We give thanks for Jesus' sacrifice. Through the Holy Spirit bread and wine become the Body and Blood of Jesus Christ.

GO TO pages 385 and 387 to learn more about the Liturgy of the Eucharist.

We Believe

Christ is present in the bread and wine at Mass. In them, Christ gives us himself, the Bread of Life.

Faith Words

Eucharist
The Eucharist is a sacrifice and a special meal of thanks. We receive the Body and Blood of Christ.

Our Church Teaches

Only a priest can lead the celebration of the Eucharist. We receive the Body and Blood of Christ in **Holy Communion**. The Eucharist unites us with Jesus, the Bread of Life. He strengthens us.

Respondemos

Recibir la Comunión

El señor Wills estaba enseñándole religión a un grupo de niñas y niños. Les dijo: "Cuéntenme lo que saben acerca de recibir la Comunión".

¡Todos levantaron la mano!

Paolo contestó primero. "Antes de mi Primera Comunión, tengo que haber recibido la Reconciliación. Debo estar libre de pecados graves", dijo.

Lucy dijo: "Una hora antes de recibir la Comunión, no puedo comer nada, ni beber nada más que agua".

"Puedo recibir la Comunión en la mano o en la lengua", agregó Abril.

"El sacerdote, el diácono o el Ministro Extraordinario de la Sagrada Comunión dice el **Cuerpo de Cristo**. Entonces yo inclino la cabeza y contesto **Amén**", dijo Mike.

Kye agregó: "Yo también digo **Amén** cuando oigo la **Sangre de Cristo** al recibirla del cáliz".

Luego Buddy dijo: "Después de la Comunión, vuelvo a mi lugar en la iglesia y doy gracias por haber recibido el don de la Eucaristía".

"¡Qué bien!", exclamó el señor Wills. "¡No se olvidaron de nada!"

? ¿Qué haces tú después de recibir la Comunión?

Respond
Going to Communion

Mr. Wills was teaching religion to a group of girls and boys. He said, "Tell me what you know about receiving Communion."

Every hand in the group shot up!

Paolo answered first. "I must have already received Reconciliation before my First Communion. I must be free of serious sin," he said.

Lucy said, "I shouldn't eat or drink anything but water for one hour before receiving Communion."

"I can receive Communion either in my hand or on my tongue," added April.

"The priest, deacon, or Extraordinary Minister of Holy Communion says the **Body of Christ**. Then I bow and answer **Amen**," said Mike.

Kye added, "I also say **Amen** when I hear the **Blood of Christ** if I receive from the cup."

Then Buddy said, "After Communion, I return to my place in church. I give thanks because I have received the gift of Eucharist."

"Wow!" said Mr. Wills. "You didn't forget a thing!"

? What do you do after receiving Communion?

227

Actividad

Tacha las **Q**, las **X** y las **Z** que veas en la sopa de letras.

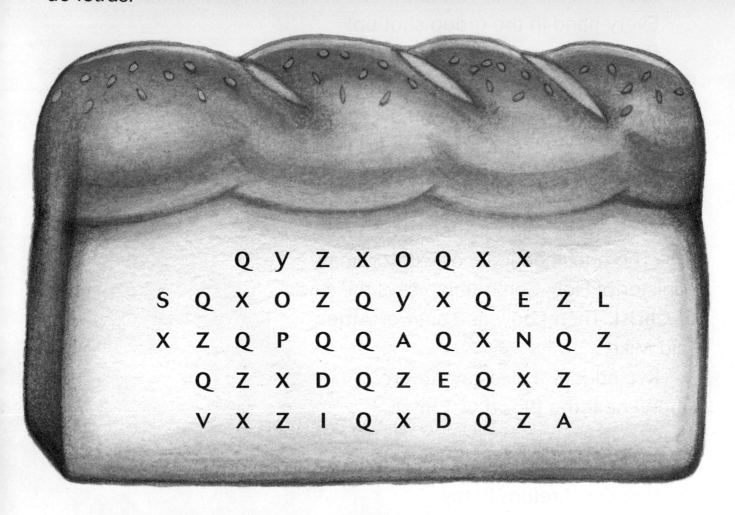

Q y Z X O Q X X
S Q X O Z Q y X Q E Z L
X Z Q P Q Q A Q X N Q Z
Q Z X D Q Z E Q X Z
V X Z I Q X D Q Z A

Escribe la frase que encontraste en ella.

_____

_____

_____

_____

_____

_____

Activity

Where you see a **Q**, an **X**, or a **Z** in the puzzle, cross it out.

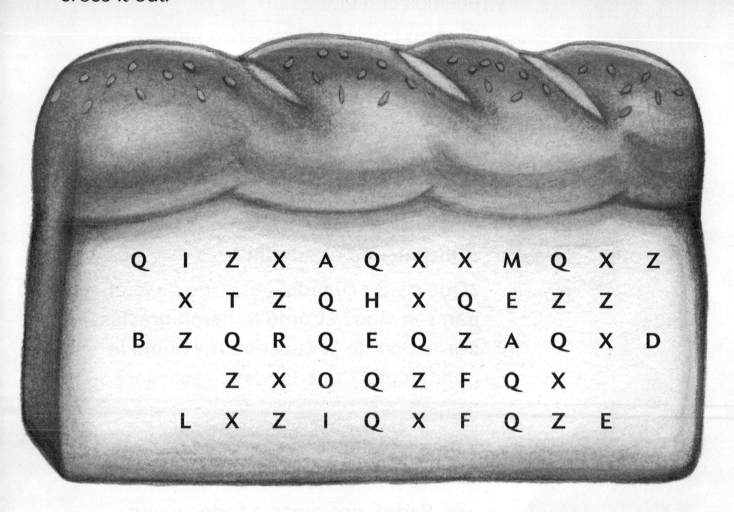

Q I Z X A Q X X M Q X Z

X T Z Q H X Q E Z Z

B Z Q R Q E Q Z A Q X D

Z X O Q Z F Q X

L X Z I Q X F Q Z E

Write the sentence you found in the puzzle.

_____

_____

_____

_____.

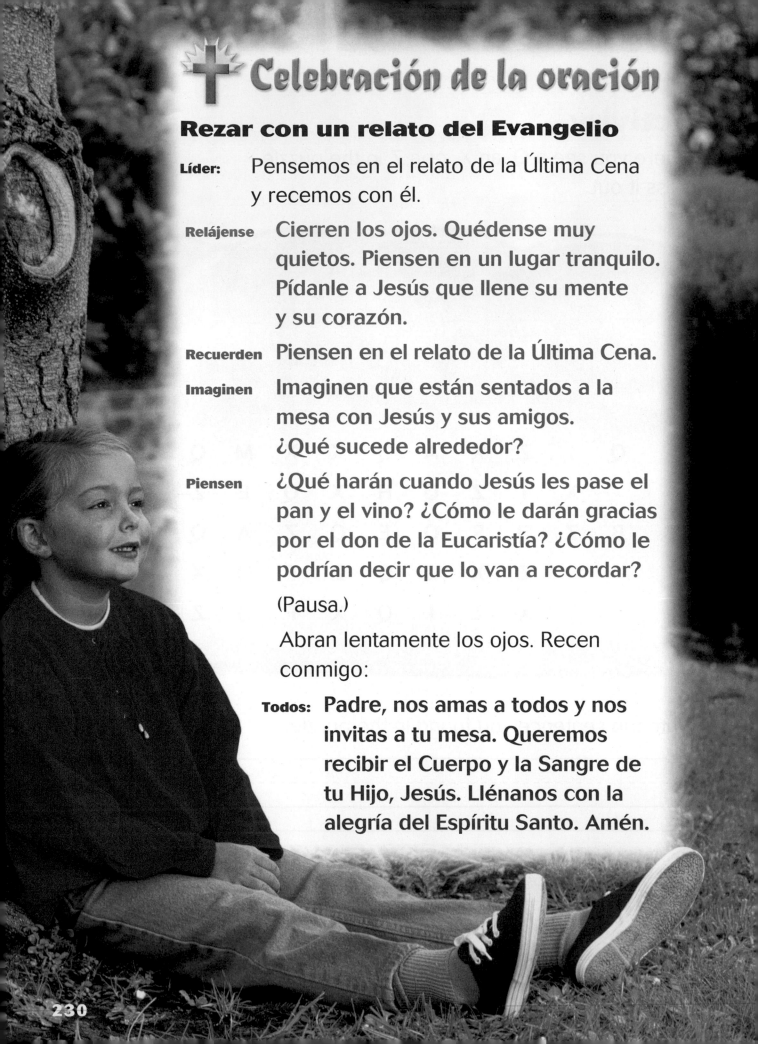

✝ Celebración de la oración

Rezar con un relato del Evangelio

Líder: Pensemos en el relato de la Última Cena y recemos con él.

Relájense Cierren los ojos. Quédense muy quietos. Piensen en un lugar tranquilo. Pídanle a Jesús que llene su mente y su corazón.

Recuerden Piensen en el relato de la Última Cena.

Imaginen Imaginen que están sentados a la mesa con Jesús y sus amigos. ¿Qué sucede alrededor?

Piensen ¿Qué harán cuando Jesús les pase el pan y el vino? ¿Cómo le darán gracias por el don de la Eucaristía? ¿Cómo le podrían decir que lo van a recordar?

(Pausa.)

Abran lentamente los ojos. Recen conmigo:

Todos: Padre, nos amas a todos y nos invitas a tu mesa. Queremos recibir el Cuerpo y la Sangre de tu Hijo, Jesús. Llénanos con la alegría del Espíritu Santo. Amén.

✝ Prayer Celebration

Praying with a Gospel Story

Leader: Let us think about and pray with the story of the Last Supper.

Relax Close your eyes. Be very still. Think of a quiet place. Ask Jesus to fill your mind and heart.

Remember Think about the Last Supper story.

Imagine Imagine that you are sitting at the table with Jesus and his friends. What is happening around you?

Think What will you do when Jesus passes the bread and wine? How will you thank Jesus for the gift of Eucharist? How might you tell Jesus that you will remember him?

(Pause.)

Slowly open your eyes. Pray together with me:

All: Father, you love all of us. You invite us to come to your table. We want to receive the Body and Blood of your Son, Jesus. Fill us with the joy of the Holy Spirit. Amen.

La fe en acción

Ministros Extraordinarios de la Sagrada Comunión   Durante la Misa, los Ministros Extraordinarios de la Sagrada Comunión ayudan a dar la Comunión. Ellos muestran respeto por cada persona a la que sirven. También llevan el regalo de Cristo a los que no pueden salir de su casa y rezan con ellos.

En la vida diaria

Actividad   Representa una manera de mostrar respeto cuando repartes hojas de papel o libros a los demás.

En tu parroquia

Actividad   Escribe la letra de la palabra que falta en cada oración.

A Eucaristía   **B** regalo   **C** sacerdotes   **D** respeto   **E** sirven

1. Todos los que dan la Comunión muestran _____ por los demás.

2. Los diáconos y los _____ también dan la Comunión.

3. Los ministros de la Comunión llevan la _____ a los demás.

4. Todos los ministros de la Comunión _____ a la gente.

5. En la Eucaristía recibimos el _____ de Cristo.

Faith in Action

Extraordinary Ministers of Holy Communion   During Mass, Extraordinary Ministers of Holy Communion help give out Communion. These people show respect for each person they serve. They also bring the gift of Christ to people who are homebound and pray with them.

In Everyday Life

Activity   Model a way of showing respect when handing out papers or books to others.

In Your Parish

Activity   Write the letter for the missing word in each sentence.

A Eucharist	**B** gift	**C** priests	**D** respect	**E** serve

1. All who give out Communion show _____ for others.

2. Deacons and _____ also give Communion.

3. Ministers of Communion bring the _____ to others.

4. All ministers of Communion _____ people.

5. In Eucharist, we receive the _____ of Christ.

15 Continuamos la obra de Jesús

OREMOS

Ámense unos a otros como yo los he amado.

Basado en Juan 13:34

Compartimos

¿Qué clase de trabajadores ves?

¿Qué clase de trabajo te gustaría hacer cuando seas grande? Muéstralo con un dibujo.

15 We Carry On the Work of Jesus

Love one another as I have loved you.

Based on John 13:34

Share

What kind of workers do you see?

What kind of work would you like to do when you grow up? Show it in a drawing.

Escuchamos y creemos

✝ La Escritura Jesús y la niña

Cuentista: Un día Jesús estaba hablándole a una gran cantidad de personas. Entre ellas estaba un hombre llamado Jairo.

Jairo: (Se arrodilla ante Jesús.) Señor, por favor, ven a mi casa. Ayuda a mi hija, que está enferma.

Jesús: Muéstrame el camino. La ayudaré.

Jairo: (Se levanta.) Gracias, Jesús. ¡Vamos!

Cuentista: Empezaron a caminar. Un sirviente de la casa de Jairo corrió hasta ellos.

Sirviente: Señor, su hija acaba de morir.

Cuentista: Jairo se puso muy triste.

Jesús: No tengas miedo, Jairo. Confía en que yo podré ayudar.

Cuentista: Cuando llegaron a la casa, Jesús entró. La niña estaba muerta, tendida en la cama.

Jesús: (Tomando su mano.) Niña, ¡levántate!

Cuentista: La niña se levantó inmediatamente y abrazó a su padre.

Jairo: Jesús, ¿cómo podré agradecértelo?

Jesús: Trata de amar a todos como yo te he amado.

Basado en Marcos 5:21–24, 35–42

Hear & Believe

✝ Scripture *Jesus and the Little Girl*

Storyteller: One day Jesus was speaking to a crowd of people. A man named Jairus was there.

Jairus: (kneels in front of Jesus) Lord, please come to my home. Please help my sick daughter.

Jesus: Show me the way. I will help her.

Jairus: (gets up) Thank you, Jesus. Let's go!

Storyteller: They started walking. A servant from the house of Jairus ran up to them.

Servant: Sir, your daughter just died.

Storyteller: Jairus was very sad.

Jesus: Do not be afraid, Jairus. Believe that I can help.

Storyteller: When they got to the house, Jesus went in. The dead girl was lying on the bed.

Jesus: (taking her hand) Little girl, get up!

Storyteller: The little girl got up at once. She hugged her father.

Jairus: Jesus, how can I ever thank you?

Jesus: Try to love everyone as I have loved you.

Based on Mark 5:21–24, 35–42

La obra de Jesús

En este relato de la Biblia, Jesús mostró su amor por Jairo y por su hija. Jesús les enseñó a las personas acerca del amor que Dios siente por todos. Lo hizo de muchas maneras. Contaba relatos, compartía los alimentos, perdonaba a los pecadores, consolaba a los que estaban tristes, curaba a los enfermos, y hasta hacía que las personas muertas volvieran a la vida.

Nuestra Iglesia nos enseña

En el **Nuevo Mandamiento** Jesús dijo: "Ámense unos a otros como yo los he amado". Ésta es la ley del amor. Se nos pide que amemos a los demás como Dios nos ama a nosotros. Vivimos según la ley del amor de Jesús. Así lo hacemos cuando mostramos nuestro amor por los demás.

Creemos

Cuando amamos a los demás, seguimos a Jesús. También mostramos nuestro amor por Dios.

Palabras de fe

Nuevo Mandamiento
El Nuevo Mandamiento de Jesús es: "Ámense unos a otros como yo los he amado".

The Work of Jesus

In this Bible story, Jesus showed his love for Jairus and his daughter. Jesus taught people about God's love for everyone. He did this in many ways. He told stories. He shared food. He forgave sinners. He comforted sad people. Jesus healed the sick. He even brought dead people back to life.

Our Church Teaches

In the **New Commandment** Jesus said, "Love one another as I have loved you." This is the law of love. We are called to love others the way God loves us. We live by Jesus' law of love. We do this when we show our love for others.

Respondemos

Cuidar de los demás

"La señora Nye no fue a Misa el domingo", dijo Mattie. "Está en casa, enferma y sola. ¡Ni siquiera puede cocinar!

"Todos querían ayudar. El doctor Ray fue a verla. Joey García le llevó un rico almuerzo y se quedó un rato con ella. La familia Grant le preparó la cena".

"Así la cuidaron el domingo, pero, ¿y el resto de la semana?", preguntó Kim.

"Algunos miembros de la parroquia le llevarán alimentos todos los días", contestó Mattie.

"Pidámosles a todos que también recen por ella", agregó Kim.

"¿Sabes?, Jesús nos enseñó a amarnos unos a otros como Él nos amó. ¡Cuando cuidamos de la señora Nye, mostramos nuestro amor por Dios!"

Respond

Taking Care of Others

"Mrs. Nye wasn't at Mass Sunday," said Mattie. "She is home, sick and alone. She can't even cook!

"Everybody wanted to help. Dr. Ray stopped in to see Mrs. Nye. Joey Garcia brought her a nice lunch. He stayed and visited for a while. The Grant family prepared her dinner."

"So that took care of Sunday. What about the rest of the week?" asked Kim.

Mattie answered, "Parish members will take meals to Mrs. Nye every day."

"Let's ask everybody in the parish to pray for her, too, " added Kim.

"You know, Jesus taught us to love one another as he loved us. When we care for Mrs. Nye, we show our love for God!"

Actividades

Muestra cómo puedes continuar la obra de Jesús.

1. Escribe cuatro palabras que puedes decirle a alguien que está triste.

_____   _____

- - - - - - - - - - - - - -   - - - - - - - - - - - - - -

_____   _____

_____   _____

- - - - - - - - - - - - - -   - - - - - - - - - - - - - -

_____   _____

2. Haz un dibujo que muestre cómo puedes ayudar a un enfermo.

Activities

Show how you can carry on the work of Jesus.

1. Write four words you can say to someone who is sad.

_____   _____
-----------------------   -----------------------
_____   _____
-----------------------   -----------------------
_____   _____
-----------------------   -----------------------
_____   _____

2. Draw a picture that shows how you can help a sick person.

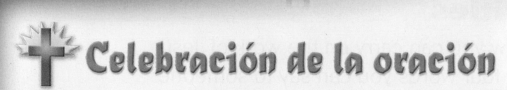

Celebración de la oración

Oración con el pulgar por los demás

Puedes rezar por los demás usando sólo el pulgar.
Traza una pequeña Señal de la Cruz con el pulgar.
Durante el trazo vertical de la cruz, piensa "Jesús".
En el horizontal, piensa en el nombre de alguien
por el que estás rezando.

Podrías rezar ⬇ "Jesús" y después, ➡ "tío Jim".
Traza la cruz en la palma de la mano, sobre un
libro o en cualquier otro lugar.

Elige una de las siguientes oraciones para
rezar con el pulgar. Reza tu oración una y
otra vez.

⬇ Jesús ➡ el Papa

⬇ Jesús ➡ todos los padres

⬇ Jesús ➡ los necesitados

⬇ Jesús ➡ nuestro párroco

⬇ Jesús ➡ todos los niños

⬇ Jesús ➡ (tu propia oración)

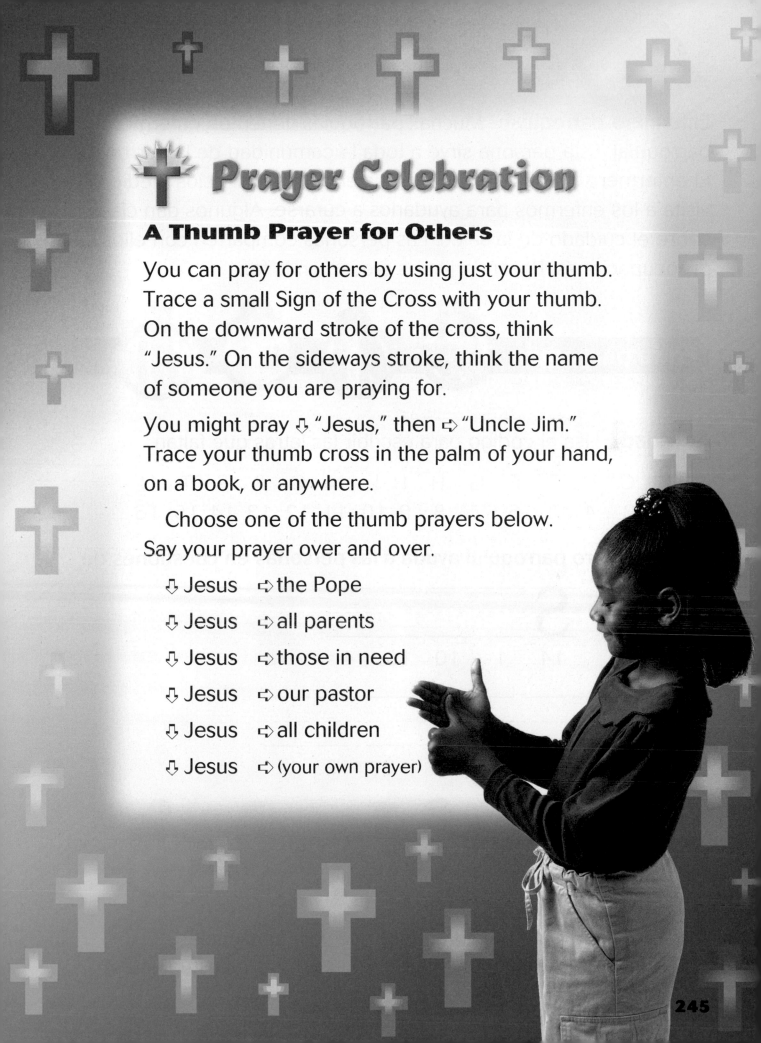

✝ Prayer Celebration

A Thumb Prayer for Others

You can pray for others by using just your thumb. Trace a small Sign of the Cross with your thumb. On the downward stroke of the cross, think "Jesus." On the sideways stroke, think the name of someone you are praying for.

You might pray ⇩ "Jesus," then ⇨ "Uncle Jim." Trace your thumb cross in the palm of your hand, on a book, or anywhere.

Choose one of the thumb prayers below. Say your prayer over and over.

⇩ Jesus ⇨ the Pope

⇩ Jesus ⇨ all parents

⇩ Jesus ⇨ those in need

⇩ Jesus ⇨ our pastor

⇩ Jesus ⇨ all children

⇩ Jesus ⇨ (your own prayer)

La fe en acción

Enfermero parroquial   Muchas parroquias tienen un enfermero parroquial. Esta persona sirve a toda la comunidad de la parroquia. El enfermero ayuda a las personas a encontrar servicios médicos y visita a los enfermos para ayudarlos a curarse. Algunos dan clases sobre el cuidado de la salud. Las personas comparten con ellos sus preocupaciones. Rezando juntos crecen en la fe.

En tu parroquia

Actividad   Usa el código para escribir las letras que faltan.

A	B	C	D	E	F	G	H	I	L	N	Ó	R	S	T	U
1	2	3	4	5	6	7	8	9	10	11	12	13	14	15	16

Un enfermero parroquial ayuda a las personas en cuestiones de

_ E, S _ _ _ _ _
6 5   14 1 10 16 4

y C _ _ _ _ _ _ _.
3 16 13 1 3 9 12 11

En la vida diaria

Actividad   Piensa en el enfermero que va a tu escuela. ¿De qué manera ayuda un enfermero escolar a los estudiantes?

Faith in Action

Parish Nurse   Many parishes have a parish nurse. This person serves the whole parish community. The nurse helps people find health services. This nurse visits the sick to help them heal. Some parish nurses teach classes on health care. People share their concerns with a parish nurse. By praying together they grow in faith.

In Your Parish

Activity   Use the code to write the missing letters.

A	B	C	D	E	F	G	H	I	L	N	O	R	S	T
1	2	3	4	5	6	7	8	9	10	11	12	13	14	15

A parish nurse helps people with

_ _ _ _ H,   H _ _ _ _ _ H,
6 1 9 15 8   8 5 1 10 15 8

and H _ _ _ _ _ _.
8 5 1 10 9 11 7

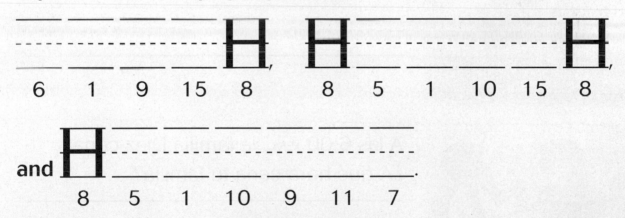

In Everyday Life

Activity   Think about the nurse that visits your school. In what ways does a school nurse help students?

16 Rezamos como Jesús

OREMOS

Llamemos al Señor en todo momento,
alabemos a Dios día y noche.

Basado en el Salmo 34:2

Compartimos

Muchas personas hacen cosas a la misma hora todos los días.

A las 7:00 A.M., Betsy se despierta.
¿A qué hora te despiertas generalmente?

_____

- -

_____

Escuela Elm

A las 8:00 A.M., Willie toma el autobús.
¿A qué hora vas a la escuela?

_____

- -

_____

A las 6:00 P.M., la familia Díaz cena.
¿A qué hora cena tu familia?

_____

- -

_____

Cuenta a qué hora pasan las cosas los sábados.

Di qué es diferente los domingos.

16 We Pray Like Jesus

Let us call to the LORD at all times.
Let us praise God both day and night.

Based on Psalm 34:2

Share

Many people do things at the same time each day.

At 7:00 A.M., Betsy wakes up.
What time do you usually wake up?

_____

- -

_____

At 8:00 A.M., Willie gets on the bus.
What time do you go to school?

_____

- -

_____

Elm School

At 6:00 P.M., the Diaz family eats dinner.
What time does your family eat dinner?

_____

- -

_____

Talk about what time things happen on Saturday.

Tell what is different about Sunday.

Escuchamos y creemos

✝ La Escritura La oración de Jesús

Jesús había rezado muchas veces con sus amigos. Un día ellos le pidieron que les enseñara a rezar como Él. Entonces Jesús les enseñó esta oración.

Padre nuestro, que estás en el cielo,
    santificado sea tu Nombre;
    venga a nosotros tu reino;
    hágase tu voluntad
    en la tierra como en el cielo.
Danos hoy nuestro pan de cada día;
    perdona nuestras **ofensas**,
    como también nosotros
    perdonamos a los que nos ofenden;
    no nos dejes caer en la **tentación**,
    y líbranos del mal.
Amén.

Basado en Lucas 11:1; Mateo 6:9–13

Hear & Believe

✝ Scripture The Prayer of Jesus

Jesus had prayed many times with his friends.
One day, they asked Jesus to teach them to pray as
he did. So, Jesus taught them this prayer.

Our Father
    who art in heaven,
    hallowed be thy name.
Thy kingdom come.
Thy will be done on earth,
    as it is in heaven.
Give us this day
    our daily bread,
and forgive us
    our **trespasses**,
    as we forgive those
    who trespass against us,
and lead us not
    into **temptation**,
    but deliver us from evil.
Amen.

Based on Luke 11:1;
Matthew 6:9–13

El Padre Nuestro

La oración que Jesús nos enseñó se llama **Padre Nuestro.** Jesús dijo que el nombre de Dios es santificado o santo. Nosotros mostramos respeto por el nombre de Dios. En esta oración, recordamos que Dios es el Padre de todas las personas.

Nuestra Iglesia nos enseña

El Padre Nuestro es una oración especial porque Jesús nos la enseñó. En ella pedimos perdón por nuestros pecados, nuestras ofensas. Pedimos no caer en tentaciones. No queremos hacer el mal. En todas las Misas rezamos el Padre Nuestro. Cuando lo hacemos, podemos extender abiertas las manos.

Creemos

Jesús nos enseñó a rezar el Padre Nuestro. Es la oración de los cristianos de todo el mundo.

Palabras de fe

santificado
Santificado es otra palabra para "algo que es santo".

ofensas
Las ofensas son pecados o maldades.

tentación
La tentación es querer hacer algo que está mal.

The Lord's Prayer

We call the prayer Jesus taught the **Lord's Prayer**. Jesus said that God's name is hallowed, or holy. We show respect for God's name. In this prayer, we remember that God is the Father of all people.

Our Church Teaches

The Lord's Prayer is special because Jesus taught it to us. In it we ask forgiveness for our sins, our trespasses. We ask that we not have temptations. We do not want to do wrong. At every Mass we pray the Lord's Prayer. When we pray this prayer at Mass, we may hold out our open hands.

We Believe

Jesus taught us to pray the Lord's Prayer. It is the prayer of Christians all over the world.

Faith Words

hallowed
Hallowed is another word for "holy."

trespasses
Trespasses are sins or wrongs.

temptation
A temptation is wanting to do something that is wrong.

Respondemos
Rezar juntos

María y José le enseñaron a rezar a Jesús. Ellos rezaban en casa y en el Templo. Nuestros padres nos enseñan a rezar. Rezamos juntos en casa y en la iglesia. Como miembros de la Iglesia, rezamos juntos el Padre Nuestro.

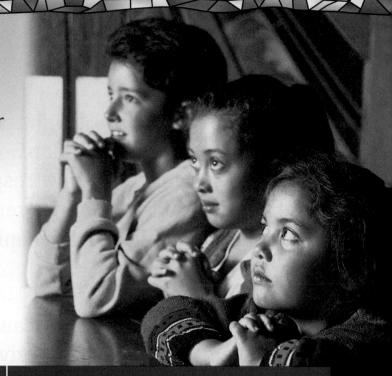

El Padre Nuestro	Lo que significa
Padre nuestro, que estás en el cielo, santificado sea tu Nombre;	Alabamos a Dios Padre por ser bueno y santo.
venga a nosotros tu reino; hágase tu voluntad en la tierra como en el cielo.	Rezamos para que Dios nos traiga la felicidad y la paz perfectas. Rezamos para que todos obedezcan las leyes de Dios.
Danos hoy nuestro pan de cada día;	Rezamos por nuestras necesidades y las necesidades de los demás.
perdona nuestras ofensas, como también nosotros perdonamos a los que nos ofenden;	Le pedimos a Dios que perdone nuestros pecados. Perdonamos a las personas que nos han herido.
no nos dejes caer en la tentación,	Le pedimos a Dios que nos ayude a elegir el bien en lugar del mal.
y líbranos del mal.	Le pedimos a Dios que nos proteja de las cosas que nos pueden hacer daño.
Amén.	Decimos "Sí, creo. Es verdad".

Respond
Praying Together

Mary and Joseph taught Jesus how to pray. They prayed at home and in the Temple. Our parents teach us how to pray. We pray together at home and in church. As church members we pray the Lord's Prayer together.

The Lord's Prayer	What It Means
Our Father who art in heaven, hallowed be thy name.	We praise God the Father for being good and holy.
Thy kingdom come. Thy will be done on earth, as it is in heaven.	We pray God will bring about a time of perfect happiness and peace. We pray that everyone will obey God's laws.
Give us this day our daily bread,	We pray for our needs and the needs of others.
and forgive us our trespasses, as we forgive those who trespass against us,	We ask God to forgive our sins. We forgive people who have hurt us.
and lead us not into temptation,	We ask God to help us choose right instead of wrong.
but deliver us from evil.	We ask God to protect us from things that may harm us.
Amen.	We say "Yes, I believe. It is true."

Actividades

Los católicos decimos una oración de acción de gracias antes de comer. Luego decimos una oración de acción de gracias después de comer.

1. Elige palabras de la casilla para completar estas oraciones para las comidas. Las ilustraciones te ayudarán.

dones   recibir   Cristo   gracias   por siempre

Bendícenos, Señor, y bendice tus _____,

que estamos por _____ de tu

bondad, a través de _____ nuestro Señor. Amén.

Te damos _____ por todos tus

 _____, Dios todopoderoso, que vives y

reinas ahora y _____. Amén.

2. Aprende de memoria estas oraciones para las comidas.

Activities

Before eating, Catholics pray the Grace Before Meals.
After eating, we pray the Grace After Meals.

1. Choose words from the box to complete these
   mealtime prayers. The pictures will help you.

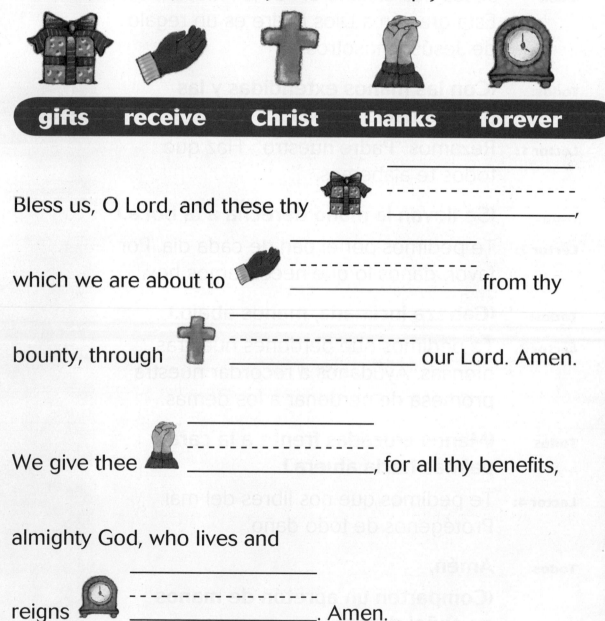

gifts   receive   Christ   thanks   forever

Bless us, O Lord, and these thy _____,

which we are about to _____ from thy

bounty, through _____ our Lord. Amen.

We give thee _____, for all thy benefits,

almighty God, who lives and

reigns _____. Amen.

2. Learn these mealtime prayers by heart.

Celebración de la oración

Oración comunitaria

Líder: Jesús nos enseñó el Padre Nuestro. Esta oración a Dios Padre es un regalo de Jesús a nosotros.

Todos: **(Con las manos extendidas y las palmas hacia arriba.)**

Lector 1: Rezamos "Padre nuestro". Haz que todos te alabemos.

Todos: **(Se llevan la mano derecha a la boca.)**

Lector 2: Te pedimos por el pan de cada día. Por favor, danos lo que necesitamos hoy.

Todos: **(Cabeza inclinada, manos abajo.)**

Lector 3: Te pedimos que perdones nuestras ofensas. Ayúdanos a recordar nuestra promesa de perdonar a los demás.

Todos **(Manos cruzadas frente a la cara, palmas hacia afuera.)**

Lector 4: Te pedimos que nos libres del mal. Protégenos de todo daño.

Todos: **Amén.**

(Comparten un apretón de manos en señal de paz.)

Prayer Celebration

A Community Prayer

Leader: Jesus taught us the Lord's Prayer. This prayer to God the Father is a gift from Jesus to us.

All: **(Hold hands out, palms up.)**

Reader 1: We pray "Our Father." May all your people praise you.

All: **(Take right hand up to mouth.)**

Reader 2: We ask for daily bread. Please give us what we need this day.

All: **(Bow head, hands down.)**

Reader 3: We ask to be forgiven of our trespasses. Help us remember our promise to forgive others.

All **(Cross hands in front of face, palms out.)**

Reader 4: We ask to be delivered from evil. Protect us from harm.

All: **Amen.**

(Share a handshake of peace.)

La fe en acción

Catequistas   El Espíritu Santo les pide a hombres y mujeres que sean catequistas. Éstas son personas piadosas que viven su fe. Los catequistas enseñan religión. Tratan de ayudar a los demás a crecer en su fe. Las familias trabajan con los catequistas para preparar a sus hijos para los sacramentos.

En tu parroquia

Actividad   Colorea de azul las figuras con una †. Colorea de amarillo todas las demás figuras. **¿En qué te ayudan a crecer los catequistas?**

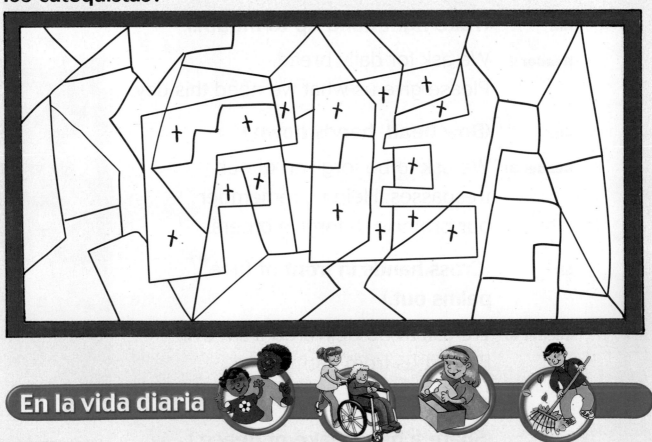

En la vida diaria

Actividad   Piensa en otras personas que te enseñan. Nómbralas y cuenta qué aprendes de ellas.

Faith in Action

Catechists   The Holy Spirit calls men and women to be catechists. These are prayerful people who live their faith. Catechists teach religious education. Catechists try to help others grow in their faith. Families work with catechists to prepare their children for the sacraments.

In Your Parish

Activity   Color the shapes with a † blue. Color all other shapes yellow. **What do catechists help you grow in?**

In Everyday Life

Activity   Think of other people who teach you. Name these people and tell what you learn from them.

Vayamos en paz

Fortalecidos con la Eucaristía, trabajamos para parecernos más a Cristo en todo lo que hacemos. Podemos ayudar a los demás a que conozcan a Jesús por la manera en que los tratamos.

Felices los que trabajan por la paz,
porque serán reconocidos como hijos de Dios.
Mateo 5:9

Puede que los primeros discípulos de Cristo caminaran por esta calle de Jerusalén, difundiendo un mensaje de paz. Al final de la Misa, nosotros también vamos en paz a servir a todo el mundo.

We Go in Peace

Made stronger by the Eucharist, we work to be more like Christ in all we do. We can help others know about Jesus by the way we treat them.

Blessed are the peacemakers,
for they will be called children of God.
Matthew 5:9

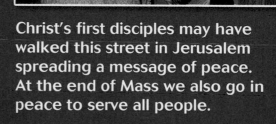

Christ's first disciples may have walked this street in Jerusalem spreading a message of peace. At the end of Mass we also go in peace to serve all people.

Ale, ale, ale

A - le, a - le, a - le - lu - ya.

A - le, a - le, a - le - lu - ya.

A - le, a - le, a - le - lu - ya. a - le -

lu - ya, a - le - lu - ya.

Música: Tradicional caribeña, arr. por John L. Bell, © 1990, Comunidad de Iona, GIA Publications, Inc., agente

Halle, Halle, Halle

Hal - le, hal - le, hal - le - lu - jah!

Hal - le, hal - le, hal - le - lu - jah!

Hal - le, hal - le, hal - le - lu - jah! Hal - le -

lu - jah! Hal - le - lu - jah!_____

Music: Traditional Caribbean, arr. by John L. Bell, © 1990, Iona Community, GIA Publications, Inc., agent

17 Dios nos da el Espíritu Santo

OREMOS

Dios ha mandado el Espíritu Santo
a nuestros corazones.

Basado en Gálatas 4:6

Compartimos

Todas las personas tienen dones
especiales. Estos dones son parte
de nosotros. Podemos usarlos para
ayudar a los demás.

Algunas personas son inteligentes.
Pueden ayudar a los demás a aprender.

Algunas personas son divertidas.
Pueden alegrar a los que están tristes.

Algunas personas son amables y
serviciales. Pueden facilitarles la
vida a los demás.

¿Qué don especial tienes tú?

_____

- -

Puedo _____.

¿Cómo puedes usar este don para ayudar a los demás?

17 God Gives Us the Holy Spirit

LET US PRAY

God has sent the Holy Spirit into our hearts.

Based on Galatians 4:6

Share

All people have special gifts. These gifts are part of who we are. We can use these gifts to help others.

Some people are smart. They can help others learn.

Some people are funny. They can cheer up people who are sad.

Some people are kind and helpful. They can make life easier for others.

What is one special gift you have?

_____

I can _____.

How can you use this gift to help others?

Escuchamos y creemos

✝ La Escritura   Los dones especiales

Algunos amigos de Pablo vivían en la ciudad de Corinto. Le preguntaron a Pablo cuál era la mejor manera de servir a Dios y a su comunidad. Pablo les escribió esta carta.

Queridos amigos:

Dios los ama mucho y les envía el Espíritu Santo, que los ayuda a vivir como buenos seguidores de Jesús.

El Espíritu Santo ayuda, dándole dones especiales a cada persona. Se llaman **dones espirituales**. Algunos de estos dones son sabiduría, curación, entendimiento y fe. El Espíritu Santo puede darle a una persona el don de la sabiduría; a otra, el don de la curación y a otra, el del entendimiento o la fe.

Muestren su amor por Dios compartiendo sus dones los unos con los otros. ¡La comunidad de la Iglesia necesita los dones de cada uno!

Paz y amor,
Pablo

Basado en 1.ª Corintios 12:4–11

Hear & Believe

✝ Scripture The Special Gifts

Some of Paul's friends lived in the city of Corinth. They asked Paul about the best way to serve God and their community. Paul wrote this letter to them.

Dear Friends,

God loves you very much. God sends you the Holy Spirit. The Holy Spirit helps you to live as good followers of Jesus.

The Holy Spirit helps by giving special gifts to each person. They are called **spiritual gifts**. Some of these gifts are wisdom, healing, knowledge, and faith. The Holy Spirit may give one person the gift of wisdom. He may give another person the gift of healing. To someone else, he may give knowledge or faith.

Show your love for God by sharing your gifts with each other. The church community needs each person's gifts!

Peace and love,
Paul

Based on 1 Corinthians 12:4–11

Dones para compartir

La carta de Pablo dice que el Espíritu Santo nos da a cada uno dones espirituales. Algunos dones son entendimiento, sabiduría, curación y fe. Nosotros mostramos nuestro amor por Dios usando nuestros dones para ayudar a los demás.

Nuestra Iglesia nos enseña

Recibimos al Espíritu Santo en los sacramentos. El Espíritu Santo es nuestro ayudante, nuestro guía y nuestro maestro. Nos ayuda a compartir nuestros dones con otras personas y con la Iglesia. El Espíritu Santo nos guía en nuestra vida diaria.

Gifts to Share

Paul's letter says that the Holy Spirit gives each of us spiritual gifts. Some gifts are knowledge, wisdom, healing, and faith. We show our love for God by using our gifts to help others.

Our Church Teaches

We receive the Holy Spirit in the sacraments. The Holy Spirit is our helper, guide, and teacher. He helps us share our gifts with other people and with the Church. The Holy Spirit guides us in our daily lives.

We Believe

The Holy Spirit gives us spiritual gifts to share with others. These gifts help us follow Jesus.

Faith Words

spiritual gifts
The Holy Spirit gives us spiritual gifts. Some of these gifts are knowledge, wisdom, healing, and faith.

Respondemos
Usar nuestros dones

La clase de religión apenas había empezado. La señora Foy preguntó: "¿Cómo usan sus dones espirituales para ayudar a los demás?"

Gino contestó: "Yo ayudo a mi hermanita a aprender a contar. Así uso mi don del entendimiento".

"A veces papá vuelve del trabajo acalorado y cansado. Yo le llevo una rica bebida fría. Así uso mi don de la curación", agregó Tara.

Kathy dijo: "Yo uso el don de la sabiduría cuando hago buenas elecciones".

"Todos usamos el don de la fe cuando confiamos en Dios", dijo Jake.

? ¿Cómo usas tus dones espirituales para ayudar a los demás?

Actividades

1. A veces usamos símbolos para representar al Espíritu Santo. Algunos símbolos son una paloma blanca, el viento, las llamas y los rayos de luz. Colorea los símbolos y las palabras del cartel.

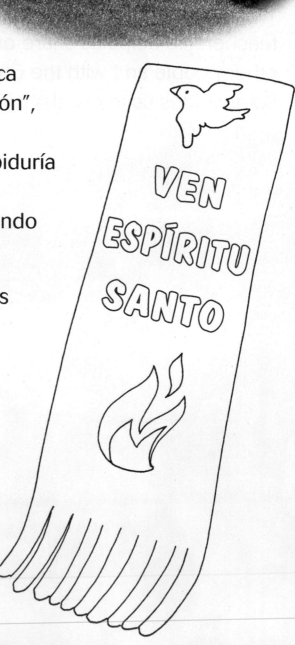

VEN ESPÍRITU SANTO

Respond
Using Our Gifts

Religion class had just started. Mrs. Foy asked, "How do you use your spiritual gifts to help others?"

Gino said, "I help my little sister learn to count. That's how I use my gift of knowledge."

"Sometimes Dad gets hot and tired from working outdoors. I bring him a nice cold drink. That's how I use my gift of healing," added Tara.

Kathy said, "I use the gift of wisdom when I make good choices."

"All of us use the gift of faith when we trust in God," said Jake.

? How do you use your spiritual gifts to help others?

Activities

1. Sometimes we use symbols to stand for the Holy Spirit. Some symbols are a white dove, wind, flames, and rays of light. Color the symbols and the words in the banner.

COME HOLY SPIRIT

2. Dios quiere que abramos nuestro corazón al Espíritu Santo. Dios quiere que usemos los dones que se nos han dado.

Si la persona está usando sus dones, pon un ✓ debajo de **Sí.** Si la persona no está usando sus dones, pon un ✓ debajo de **No**.

	Sí	No
a. Janet recibe una carta de su abuelita. No le contesta.	☐	☐
b. Carlos comparte sus palomitas de maíz con Max y con Ricardo.	☐	☐
c. Mike sabe leer. No quiere ayudar a su hermanita a aprender a leer.	☐	☐
d. Debra hace dibujos hermosos. Hace uno para su tía Sue.	☐	☐
e. A Susan le gusta cantar. Canta en el coro de niños en la Misa.	☐	☐
f. Robert toca el piano muy bien, pero no quiere tocar para los demás.	☐	☐
g. Tanya le cuenta cuentos a su hermanita cuando se va a la cama.	☐	☐

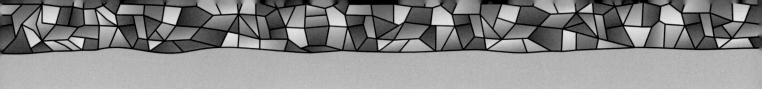

2. God wants us to open our hearts to the Holy Spirit. God wants us to use the gifts we have been given.

Put a ✓ under **Yes** if the person is using his or her gifts. Put a ✓ under **No** if the person is not using his or her gifts.

	Yes	No
a. Janet receives a letter from Grandma. She does not answer it.	☐	☐
b. Carlos shares his popcorn with Max and Ricardo.	☐	☐
c. Mike can read. He does not want to help his little sister learn to read.	☐	☐
d. Debra can draw beautiful pictures. She draws one for Aunt Sue.	☐	☐
e. Susan likes to sing. She sings in the children's choir at Mass.	☐	☐
f. Robert plays the piano very well, but he will not play for others.	☐	☐
g. Tanya tells bedtime stories to her little sister.	☐	☐

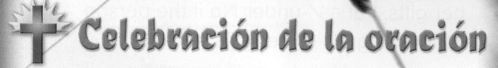

Celebración de la oración

Oración al Espíritu Santo

Líder: El Espíritu Santo nos ha dado dones a cada uno de nosotros. Cierren los ojos. Piensen en un don especial que tengan. (Pausa.) Abran los ojos. Oremos para que siempre usemos nuestros dones para ayudar a los demás. Dios, envía tu Espíritu Santo

Grupo 1: **a nuestro corazón, para que amemos,**

Grupo 2: **a nuestra mente, para que recordemos,**

Grupo 3: **a nuestra imaginación, para que entendamos.**

Líder: Que la gracia del Espíritu Santo nos fortalezca con sabiduría.

Todos: **Que el Espíritu Santo nos ayude y nos guíe. Amén.**

Basado en la Oración al Espíritu Santo de San Antonio de Padua

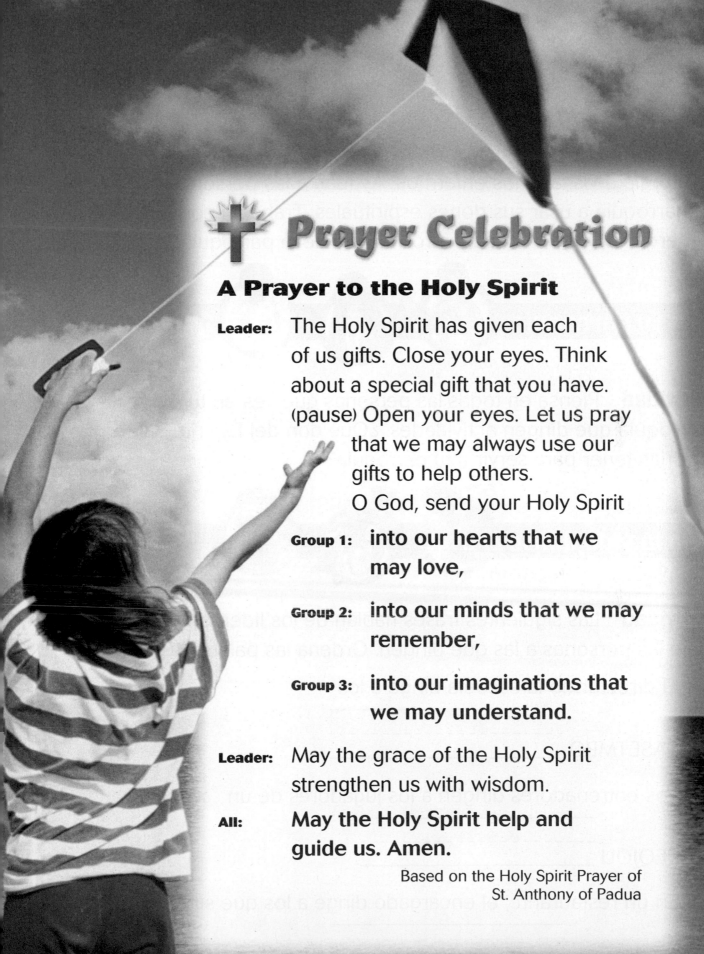

✝ Prayer Celebration

A Prayer to the Holy Spirit

Leader: The Holy Spirit has given each of us gifts. Close your eyes. Think about a special gift that you have. (pause) Open your eyes. Let us pray that we may always use our gifts to help others.
O God, send your Holy Spirit

Group 1: into our hearts that we may love,

Group 2: into our minds that we may remember,

Group 3: into our imaginations that we may understand.

Leader: May the grace of the Holy Spirit strengthen us with wisdom.

All: May the Holy Spirit help and guide us. Amen.

Based on the Holy Spirit Prayer of
St. Anthony of Padua

La fe en acción

Asistentes pastorales   Los asistentes pastorales reúnen la obra de todos los ministros de la parroquia. Podrían planear la liturgia o visitar a los enfermos. Ayudan a las personas de la parroquia a usar sus dones espirituales. Trabajan con los sacerdotes, los diáconos y otros líderes de la parroquia.

En tu parroquia

Actividad   Piensa en todas las personas que ves en tu parroquia que dirigen actividades. ¿Qué don del Espíritu Santo podrías tener para servir a tu parroquia?

En la vida diaria

Actividad   Las siguientes frases hablan de los líderes y de las personas a las que dirigen. Ordena las palabras.

• El director de la escuela dirige a los

_____

- -

SASETMRO _____.

• Los entrenadores dirigen a los jugadores de un

_____

- -

PEQIOU _____.

• En un restaurante, el encargado dirige a los que sirven

_____

- -

la IMOCAD _____.

278

Faith in Action

Pastoral Assistants Pastoral assistants bring together the work of all parish ministers. They might plan liturgy or visit the sick. They help people in the parish use their spiritual gifts. Pastoral assistants work with priests, deacons, and other leaders in the parish.

In Your Parish

Activity Think about all the people you see who lead activities in your parish. What gift from the Holy Spirit might you have to serve your parish?

In Everyday Life

Activity The sentences below tell about leaders and the people they lead. Unscramble the words.

- At school a principal leads CAERHETS _____.

- Coaches lead players on a AMTE _____.

- In a restaurant, a manager leads OFDO _____ servers.

18 Celebramos la paz y el servicio

OREMOS

Reciban la gracia y la paz de Dios nuestro Padre y del Señor Jesucristo.

Basado en 2.ª Corintios 1:2

Compartimos

Saludamos a los demás con palabras o con acciones.

Las personas de las ilustraciones quieren decir "Hola".
Cada una quiere decirlo de una manera distinta.
Escribe a continuación un saludo distinto para cada persona.

18 We Celebrate Peace and Service

Grace and peace to you from God our Father and the Lord Jesus Christ.

Based on 2 Corinthians 1:2

Share

We greet other people with words or with actions.

The people in the pictures want to say "Hello."
Each of them wants to say it in a different way.
Write a different greeting below for each person.

Escuchamos y creemos

🕯 El culto La Señal de la Paz

En la Eucaristía ofrecemos una Señal de la Paz a los que están a nuestro alrededor. La paz es una señal de que el Espíritu Santo está con nosotros. Esta señal nos recuerda que Jesús quiere que nos llevemos bien con todos. Nos recuerda que tenemos que servirnos unos a otros cada día.

Compartimos la Señal de la Paz de esta manera:

Sacerdote: Señor Jesucristo, que dijiste a tus apóstoles: "La paz os dejo, mi paz os doy", no tengas en cuenta nuestros pecados, sino la fe de tu Iglesia y, conforme a tu palabra, concédele la paz y la unidad. Tú que vives y reinas por los siglos de los siglos.

Todos: **Amén.**

Sacerdote: La paz del Señor esté siempre con vosotros.

Todos: **Y con tu espíritu.**

Sacerdote: Daos fraternalmente la paz.

Ordinario de
la Misa

Hear & Believe

Worship The Sign of Peace

At each Eucharist, we offer those around us a Sign of Peace. Peace is a sign that the Holy Spirit is with us. This sign reminds us that Jesus wants us to get along with everyone. It reminds us that we are to serve one another each day.

We share the Sign of Peace in this way:

Priest: Lord Jesus Christ, who said to your Apostles:
Peace I leave you, my peace I give you,
look not on our sins, but on the faith of your
Church, and graciously grant her peace and
unity in accordance with your will.
Who live and reign for ever and ever.

All: Amen.

Priest: The peace of the Lord be with you always.

All: And with your spirit.

Priest: Let us offer each other the sign of peace.

The Order of Mass

Participamos y servimos

La Señal de la Paz nos recuerda que Jesús quiere que nos amemos unos a otros. Jesús quiere que estemos en paz. La Señal de la Paz les dice a todos los miembros de la comunidad de la Iglesia que se sirvan unos a otros. Nos recuerda que tenemos que participar en las actividades de la parroquia.

Nuestra Iglesia nos enseña

El Orden Sagrado y el Matrimonio son Sacramentos al Servicio de la Comunidad. En el **Orden Sagrado,** los hombres se ordenan diáconos, sacerdotes u obispos. Ellos ayudan a enseñar y servir al Pueblo de Dios.

En el **Matrimonio,** un hombre y una mujer prometen amarse y servirse entre sí y a sus hijos. Prometen ser fieles el uno al otro durante toda su vida. Las personas casadas también participan en la obra de la parroquia.

We Take Part and Serve

The Sign of Peace reminds us that Jesus wants us to love one another. Jesus wants us to have peace. The Sign of Peace calls the whole church community to serve one another. It reminds us to take part in parish activities.

Our Church Teaches

Holy Orders and Matrimony are Sacraments at the Service of Communion. In **Holy Orders**, men become deacons, priests, or bishops. They help teach and serve the People of God.

In **Matrimony** a man and woman promise to love and serve each other and their children. They promise to be faithful to each other for their whole lives. Married people also share in the work of the parish.

Respondemos
Elección de servir

Joseph Ratzinger nació en una pequeña aldea de Alemania, en 1927. Cuando tenía cinco años, se encontró por primera vez con un cardenal. Joseph fue uno de los niños que le dieron la bienvenida con flores al cardenal visitante. Poco después decidió que él también sería cardenal. Antes de eso quería ser albañil.

A Joseph no le gustaban los deportes, pero disfrutaba caminar por las montañas y todavía ahora disfruta de la música y toca el piano.

Él y su hermano mayor, Georg, estudiaron juntos para ser sacerdotes. En 1951 los dos recibieron el Sacramento del Orden Sagrado. En 1977 el Papa Pablo VI nombró a Joseph arzobispo y después cardenal. ¡Su sueño de niño se hizo realidad!

Más adelante, el Cardenal Ratzinger fue consejero del Beato Papa Juan Pablo II. Sirvió como consejero hasta la muerte del Papa. La Iglesia necesitaba un nuevo papa. El 19 de abril de 2005, otros cardenales eligieron al Cardenal Ratzinger para servir. Tomó el nombre de Papa Benedicto XVI. Dijo: "Soy un humilde trabajador de la viña del Señor".

Respond

Choosing to Serve

Joseph Ratzinger was born in a tiny village in Germany in 1927. When he was five years old he met a cardinal for the first time. Joseph was part of a group of children who presented the visiting cardinal with flowers. After that visit he decided to become a cardinal himself. Before then he had wanted to be a bricklayer.

Joseph did not like sports but enjoyed walks in the mountains. He still enjoys music and plays the piano.

Joseph and his older brother, George, studied for the priesthood together. In 1951 both brothers celebrated the Sacrament of Holy Orders. In 1977 Pope Paul VI named Joseph archbishop and then cardinal. He was living his childhood dream!

Cardinal Ratzinger later became an advisor to Blessed Pope John Paul II. He served as advisor until the Pope's death. The Church needed a new pope. On April 19, 2005 other cardinals chose Cardinal Ratzinger to serve. He took the name Pope Benedict XVI. He said, "I am a humble servant in God's vineyard."

Actividades

1. Colorea cada espacio que tenga una ✝. En el renglón que está debajo del dibujo, escribe el mensaje escondido. Después colorea el dibujo.

_____

- -

_____.

2. Completa estas frases.

Una novia y un novio celebran el Sacramento del

_____

- -

_____.

Cuando un hombre se ordena sacerdote, recibe el

_____

- -

_____.

Activities

1. Color each space that has a †. Write the hidden message on the line below the picture. Then color the picture.

_____

- -

_____.

2. Complete these sentences.

A bride and groom celebrate the Sacrament of

_____

- -

_____.

When a man becomes a priest, he receives

_____

- -

_____.

✝ Celebración de la oración

Oración de acción de gracias

Líder: Dios, nos pides que vivamos en paz y que sirvamos a los demás. Te damos gracias por el Matrimonio y el Orden Sagrado, los Sacramentos al Servicio de la Comunidad.

Lector 1: Espíritu Santo de amor, celebramos a nuestros padres, que nos enseñan la fe.

Todos: **Dios, te damos gracias por el don de nuestros padres.**

Lector 2: Espíritu Santo de caridad, celebramos a los sacerdotes y a los diáconos de nuestra parroquia, que nos sirven.

Todos: **Dios, te damos gracias por el don de las personas que sirven.**

Lector 3: Espíritu Santo de paz, celebramos a las distintas clases de familias de nuestra parroquia.

Todos: **Dios, te damos gracias por el don de tenernos unos a otros.**

Líder: Mostrémosle a Dios que vivimos en paz y para servir. Compartan la señal de la paz entre sí.

Todos: **(Comparten la señal de la paz.)**

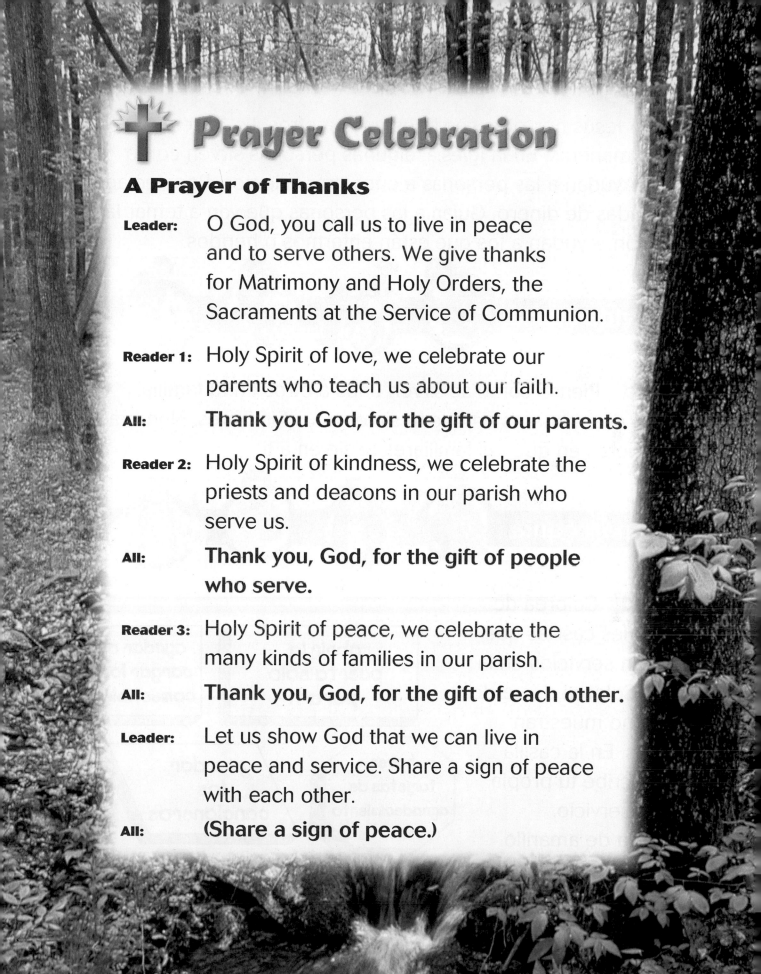

✝ Prayer Celebration

A Prayer of Thanks

Leader: O God, you call us to live in peace and to serve others. We give thanks for Matrimony and Holy Orders, the Sacraments at the Service of Communion.

Reader 1: Holy Spirit of love, we celebrate our parents who teach us about our faith.

All: **Thank you God, for the gift of our parents.**

Reader 2: Holy Spirit of kindness, we celebrate the priests and deacons in our parish who serve us.

All: **Thank you, God, for the gift of people who serve.**

Reader 3: Holy Spirit of peace, we celebrate the many kinds of families in our parish.

All: **Thank you, God, for the gift of each other.**

Leader: Let us show God that we can live in peace and service. Share a sign of peace with each other.

All: **(Share a sign of peace.)**

La fe en acción

Ujieres Jesús nos pide servirnos unos a otros. Lo hacemos de muchas maneras. En la iglesia, algunas personas sirven como ujieres. Ayudan a las personas a encontrar asientos. Recolectan las ofrendas de dinero. Guían a las personas que van a tomar la Comunión. Ayudan a los que están enfermos o heridos.

En la vida diaria

Actividad Piensa cómo se sirven unos a otros en tu familia. Nombra dos maneras en que tú sirves a tus familiares. Nombra dos maneras en que tus familiares te sirven a ti.

En tu parroquia

Actividad Colorea de amarillo las casillas que muestran servicios en la iglesia. Colorea de verde las que no muestran servicios. En la casilla vacía escribe tu propia idea de servicio. Coloréala de amarillo.

abrir la puerta sólo para ti

ayudar a cargar los comestibles

hacer tarjetas de agradecimiento

guardar los cancioneros

dejar las hojas en el banco

Faith in Action

Ushers   Jesus calls us to serve each other. We do this in many ways. At church, some people serve as ushers. They help people find seats. They collect money offerings. Ushers guide people going to Communion. They help people who become sick or hurt.

In Everyday Life

Activity   Think about how people in your family serve each other. Name two ways you serve family members. Name two ways family members serve you.

In Your Parish

Activity   Color the boxes yellow that show service at church. Color green the ones that are not service. Write your own idea of service in the empty box. Color it yellow.

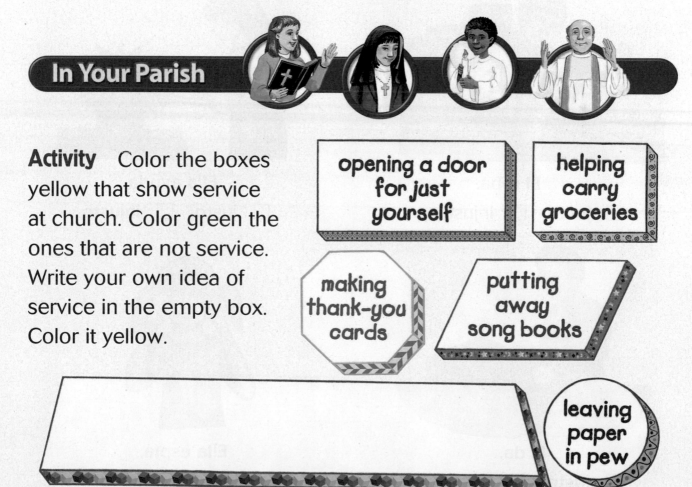

opening a door for just yourself

helping carry groceries

making thank-you cards

putting away song books

leaving paper in pew

19 Trabajamos por la paz y la justicia

Felices los que son justos con los demás.
Felices los que trabajan por la paz.

Basado en Mateo 5:6, 9

Compartimos

La vida no siempre es justa. Algunas personas son ricas, mientras otras son pobres. Algunas personas están sanas, mientras otras están enfermas.

Mira las ilustraciones. Marca con un ✔ si es **justo** o **injusto**.

Ella comparte.

☐ justo   ☐ injusto

Él roba.

☐ justo   ☐ injusto

Ella ayuda.

☐ justo   ☐ injusto

Él da.

☐ justo   ☐ injusto

Ella espía.

☐ justo   ☐ injusto

19 We Work for Peace and Justice

LET US PRAY

Happy are those who are fair with others.
Happy are those who make peace.

Based on Matthew 5:6, 9

Share

Life is not always fair. Some people are rich, while others are poor. Some people are healthy, while others are sick.

Look at the pictures. Use a ✔ to mark each one **fair** or **unfair**.

She shares.
☐ fair ☐ unfair

He steals.
☐ fair ☐ unfair

She helps.
☐ fair ☐ unfair

He gives.
☐ fair ☐ unfair

She peeks.
☐ fair ☐ unfair

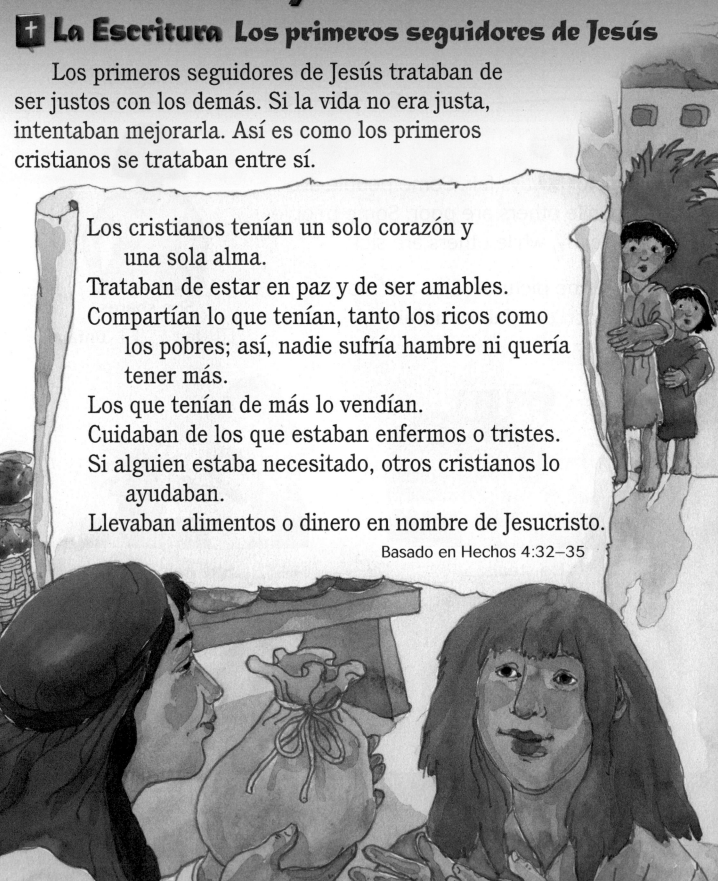

Escuchamos y creemos

✝ La Escritura Los primeros seguidores de Jesús

Los primeros seguidores de Jesús trataban de ser justos con los demás. Si la vida no era justa, intentaban mejorarla. Así es como los primeros cristianos se trataban entre sí.

Los cristianos tenían un solo corazón y una sola alma.

Trataban de estar en paz y de ser amables.

Compartían lo que tenían, tanto los ricos como los pobres; así, nadie sufría hambre ni quería tener más.

Los que tenían de más lo vendían.

Cuidaban de los que estaban enfermos o tristes.

Si alguien estaba necesitado, otros cristianos lo ayudaban.

Llevaban alimentos o dinero en nombre de Jesucristo.

Basado en Hechos 4:32–35

Hear & Believe

✝ Scripture The First Followers of Jesus

The first followers of Jesus tried to treat everyone fairly. If life was not fair, they tried to help make it better. Here is how the early Christians treated one another.

> The Christians were all of one heart and
>   one mind.
> They tried to make peace and they tried
>   to be kind.
> They shared what they had, both the rich
>   and the poor,
> So no one went hungry or wanted for more.
> Those who had extra would sell what they had.
> They took care of those who were sick or were sad.
> If someone were needy, other Christians came.
> They brought food or money in Christ Jesus' name.
>
> Based on Acts 4:32–35

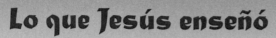

Lo que Jesús enseñó

Jesús nos enseñó a vivir en **paz** . Cuando hay una pelea, los cristianos tratan de establecer la paz. Jesús también nos enseñó a ser justos con todos, a tratarnos con **justicia** . Consolamos a los que necesitan más ayuda. Compartimos con los que tienen menos.

Nuestra Iglesia nos enseña

Debemos tratar a las personas como queremos que nos traten a nosotros. Cuando establecemos la paz y somos justos con los demás, somos más santos. El Espíritu Santo nos ayuda a vivir como fieles miembros de nuestra Iglesia.

Creemos

El Espíritu Santo nos ayuda a hacer lo que está bien. Los cristianos creemos que todas las personas merecen que las traten con justicia.

Palabras de fe

paz

La *paz* significa "llevarse bien con los demás".

justicia

Justicia significa "trato imparcial hacia los demás".

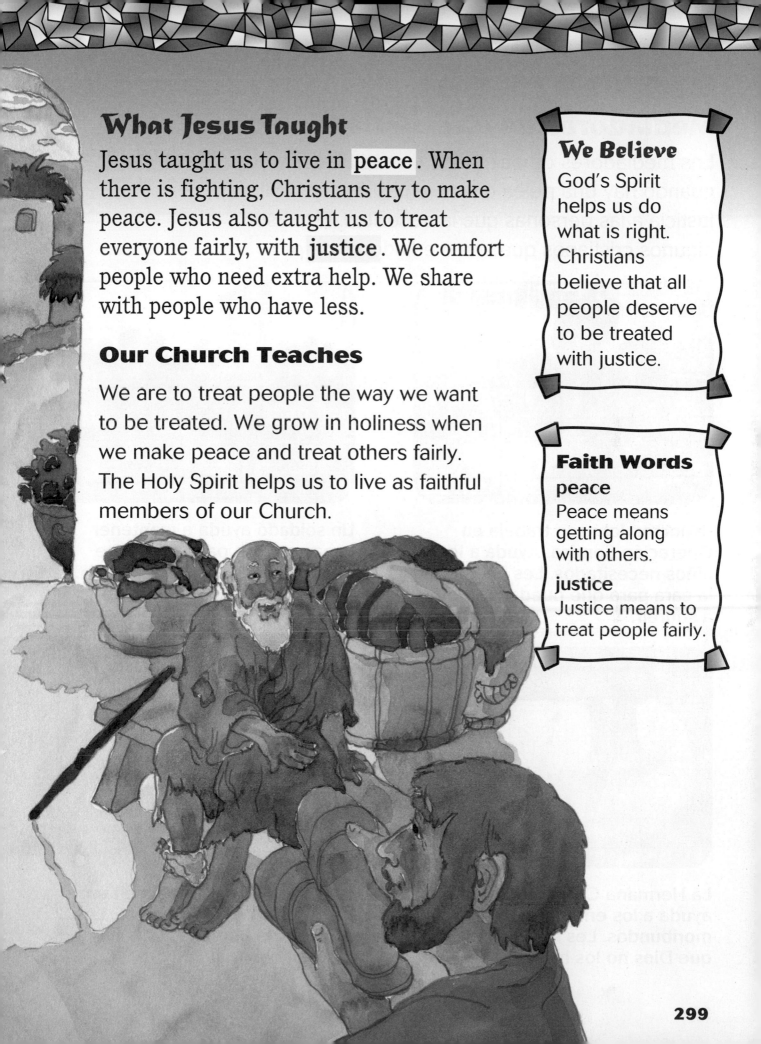

What Jesus Taught

Jesus taught us to live in peace. When there is fighting, Christians try to make peace. Jesus also taught us to treat everyone fairly, with justice. We comfort people who need extra help. We share with people who have less.

Our Church Teaches

We are to treat people the way we want to be treated. We grow in holiness when we make peace and treat others fairly. The Holy Spirit helps us to live as faithful members of our Church.

We Believe

God's Spirit helps us do what is right. Christians believe that all people deserve to be treated with justice.

Faith Words

peace
Peace means getting along with others.

justice
Justice means to treat people fairly.

Respondemos
Mediadores de paz cristianos

Los mediadores de paz tratan de establecer la paz cuando hay una pelea o problemas. Tratan de llevar justicia a las personas que la necesitan. Éstos son algunos cristianos que son mediadores de paz.

El doctor Johnson trabaja en Operación Sonrisa. Ayuda a los niños necesitados. Les opera la cara para que puedan volver a sonreír.

Un soldado ayuda a mantener la paz en otro país. No quiere que empiece de nuevo la lucha.

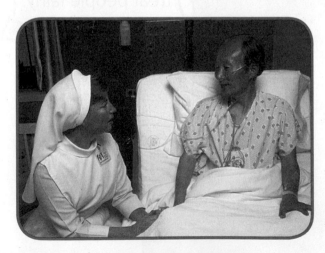

La Hermana Carole Martin ayuda a los enfermos o moribundos. Les muestra que Dios no los ha olvidado.

La señora Brown trabaja en un hogar para mujeres y niños. Los protege de personas que les quieren hacer daño.

Respond
Christian Peacemakers

Peacemakers try to make peace when there is fighting and trouble. They try to bring justice to people who need it. Here are some Christians who are peacemakers.

Doctor Johnson works with Operation Smile. He helps children in need. He fixes their faces so they can smile again.

A soldier helps keep peace in another country. He does not want fighting to start again.

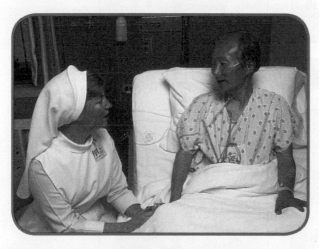

Sister Carole Martin helps people who are sick or dying. She shows them that God has not forgotten them.

Mrs. Brown works in a shelter for women and children. She protects them from people who want to hurt them.

Actividad

Prepárate para la celebración de la oración. Aprende a decir con señas "Felices los que trabajan por la paz, porque serán reconocidos como hijos de Dios". (Mateo 5:9)

Felices　　**los que**　　**trabajan por**

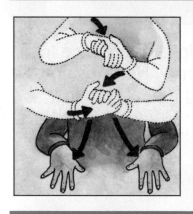

la paz,　　**ellos**　　**serán**

reconocidos　　**hijos**　　**Dios**

Activity

Get ready for the prayer celebration. Learn to sign the words "Blessed are the peacemakers, for they will be called children of God" (Matthew 5:9).

Blessed   **peacemakers,**

they   **will be**   **called**

children   **God**

Celebración de la oración

Oración con señas

Líder: Dios, te pedimos que bendigas a los que trabajan por la paz y la justicia. Rezamos por todos los que tratan de detener las guerras y establecer la paz.

Todos: (*Señas*: **Felices los que trabajan por la paz.**)

   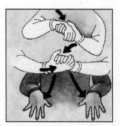

Felices	los que	trabajan por	la paz,

Líder: Jesús, bendice a los que quieren ser como tú y tratan a los necesitados con justicia.

Todos: (*Señas*: **Felices los que trabajan por la paz.**)

Líder: Espíritu Santo, te pedimos que nos ayudes a vivir en paz y a trabajar por la justicia.

Todos: (*Señas*: **Felices los que trabajan por la paz.**)

✝ Prayer Celebration

A Signing Prayer

Leader: O God, we ask you to bless those who work for peace and justice. We pray for all people who try to stop wars and make peace.

All: (*Sign:* Blessed are the peacemakers.)

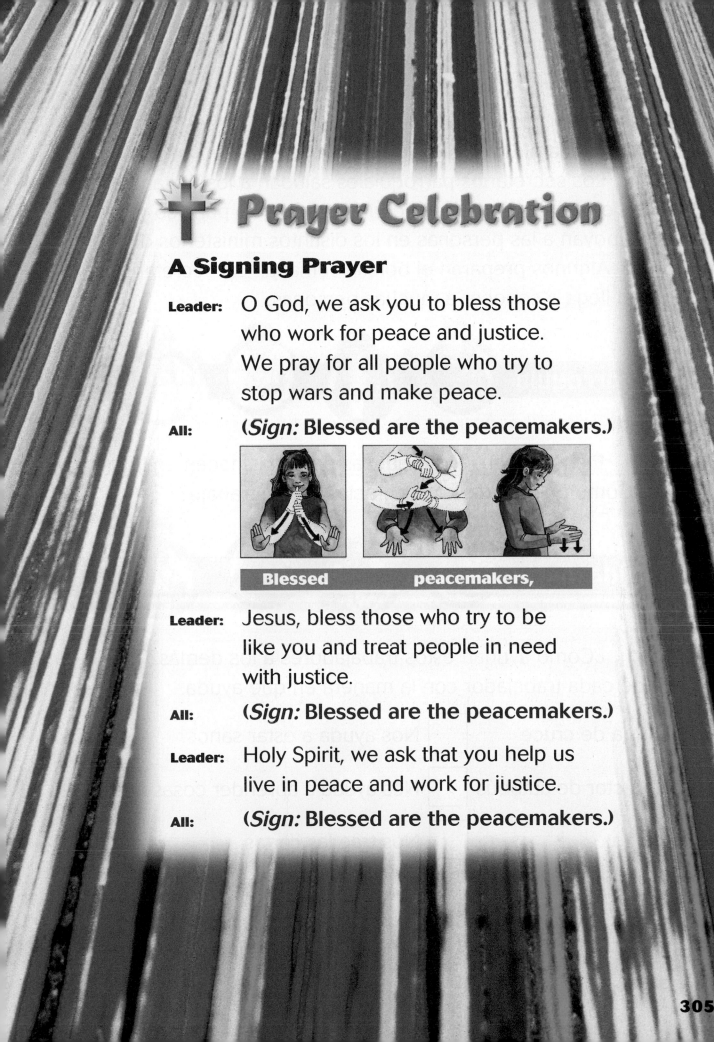

Blessed   peacemakers,

Leader: Jesus, bless those who try to be like you and treat people in need with justice.

All: (*Sign:* Blessed are the peacemakers.)

Leader: Holy Spirit, we ask that you help us live in peace and work for justice.

All: (*Sign:* Blessed are the peacemakers.)

La fe en acción

Secretario parroquial   Todas las parroquias necesitan a alguien que dé la bienvenida a los visitantes y ayude a sus miembros. Los secretarios parroquiales saludan a los visitantes, contestan el teléfono y abren el correo. Ayudan al párroco y también apoyan a las personas en los distintos ministerios de la parroquia. Algunos preparan el boletín semanal. Un secretario parroquial llega a conocer a muchas personas.

En tu parroquia

Actividad   Piensa en el trabajo que las personas hacen en la iglesia. ¿Cómo puedes darles las gracias por su trabajo?

En la vida diaria

Actividad   ¿Cómo ayudan estos trabajadores a los demás? Une la letra de cada trabajador con la manera en que ayuda.

a. guardia de cruce ☐ Nos ayuda a estar sanos.

b. conductor de autobús ☐ Nos ayuda a aprender cosas nuevas.

c. médico ☐ Nos trae las cartas.

d. cartero ☐ Nos cuida al cruzar la calle.

e. maestro ☐ Nos lleva al lugar que queremos.

Faith in Action

Parish Secretary All parishes need someone to welcome visitors and help parish members. Parish secretaries greet visitors, answer phones, and open mail. They assist their pastor. They also support people in different parish ministries. Some prepare the weekly bulletin. A parish secretary gets to meet many people.

In Your Parish

Activity Think about work that people do at church. How can you thank them for their work?

In Everyday Life

Activity How do these workers help others? Match the letter for each worker with that worker's help.

a. crossing guard ⬜ Helps us be healthy.

b. bus driver ⬜ Helps us learn new things.

c. doctor ⬜ Brings us letters.

d. mail carrier ⬜ Helps us cross streets safely.

e. teacher ⬜ Gets us places we want to go.

OREMOS

Que Dios nos ayude a fortalecer nuestra fe.
Que Dios nos bendiga con la paz.

Basado en el Salmo 29:11

Compartimos

Los dones de Dios están a nuestro alrededor. Estos dones nos hacen felices. Los recibimos a través de los cinco sentidos. Piensa en las cosas buenas que te han pasado este año. Escribe sobre ellas aquí.

Algo hermoso que vi

_____
- -
_____

Algo maravilloso que oí

_____
- -
_____

Algo agradable que olí

_____
- -
_____

Algo delicioso que saboreé

_____
- -
_____

Algo suave que toqué

_____
- -
_____

20 We Go Forth in the Holy Spirit

**May God help us be strong in our faith.
May God bless us with peace.**

Based on Psalm 29:11

Share

God's gifts are all around us. These gifts make us happy. We receive God's gifts through our five senses. Think about the good things that have happened to you this year. Write about them here.

Something beautiful I saw

_____

- -

_____

Something wonderful I heard

_____

- -

_____

Something nice I smelled

_____

- -

_____

Something good I tasted

_____

- -

_____

Something soft I touched

_____

- -

_____

Escuchamos y creemos

✝ La Escritura La gracia y la bendición de Dios

Un día Dios le dijo a Moisés: "Habla con tu hermano Aarón y con sus hijos. Diles cómo tienen que **bendecir** a los demás". "Muy bien", contestó Moisés. Después Moisés les dijo a Aarón y a sus hijos: "Dios quiere que bendigan a las personas. Recen por ellas y digan: '¡Dios te bendiga y te guarde!

Dios te sonría.

Dios te mire con buenos ojos.

Dios te dé siempre la paz'".

Basado en Números 6:22–26

Hear & Believe

✝ Scripture God's Grace and Blessing

God spoke to Moses one day. God said,
"Moses, speak to your brother Aaron and
his sons. Tell them how to **bless** others."
"All right," Moses answered. Then Moses
told Aaron and his sons, "God wants you
to bless people. Pray for them and say,
'May God bless you and keep you safe!

May God smile upon you.

May God look upon you kindly.

May God always give you peace.'"

Based on Numbers 6:22–26

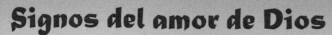

Signos del amor de Dios

Una bendición es un signo del amor de Dios por nosotros. Dios le dijo a Moisés cómo bendecir a otras personas. El Espíritu Santo nos ayuda a ofrecer oraciones de bendición a Dios. Bendecimos a Dios cuando lo alabamos y le damos gracias por tantos dones.

Nuestra Iglesia nos enseña

Cuando bendecimos a Dios, le damos gracias y lo alabamos. Le pedimos que bendiga a los demás. Le pedimos que los llene de amor y de paz. Le pedimos que nos bendiga a nosotros. Y pedimos la ayuda de Dios a través del Espíritu Santo.

Signs of God's Love

A blessing is a sign of God's love for us. God told Moses how to give blessings to other people. The Holy Spirit helps us offer prayers of blessing to God. We bless God when we give praise and thanks for his many gifts.

Our Church Teaches

When we bless God, we give him thanks and praise. We ask God to bless others. We ask that he fill others with love and peace. We ask God to bless us. And, we ask for God's help through the Holy Spirit.

We Believe

God gives everyone many blessings. We bless God with thanks and praise. We ask God to bless all people.

Faith Words

bless
To bless means to ask for God's good will toward someone.

blessing
A blessing asks for God's gifts for others or for ourselves.

Respondemos
Amamos y servimos

Toda Misa termina con una bendición. El sacerdote le pide a Dios que nos bendiga. Nos recuerda continuar con la obra de Jesús. Hacemos esto ayudando, cuidando y sirviendo a los demás.

Sacerdote: La bendición de Dios todopoderoso, Padre, Hijo y Espíritu Santo, descienda sobre vosotros.

Todos: **Amén.**

Sacerdote: Glorificad al Señor con vuestra vida. Podéis ir en paz.

Todos: **Demos gracias a Dios.**

Ordinario de la Misa

MANERAS DE AMAR Y SERVIR A LOS DEMÁS

Podemos ser amables y pacientes.

Podemos hacer las tareas domésticas y escolares con alegría.

Podemos tratar de ser serviciales.

Podemos cuidar de las plantas y los animales.

Podemos compartir.

Podemos participar de las actividades de la parroquia.

Podemos pedirle a Dios que bendiga a los demás.

? ¿Cómo amarás y servirás a los demás esta semana?

Respond

We Love and Serve

Each Mass ends with a blessing. The priest asks God to bless us. He reminds us to carry on the work of Jesus. We do this by helping, caring for, and serving others.

Priest: May almighty God bless you, the Father, and the Son, and the Holy Spirit.

All: Amen.

Priest: Go in peace to love and serve the Lord.

All: Thanks be to God.

The Order of Mass

WAYS TO LOVE AND SERVE OTHERS

We can be kind and patient.

We can cheerfully do chores and homework.

We can try to be helpful.

We can care for plants and animals.

We can share.

We can take part in parish activities.

We can ask God to bless others.

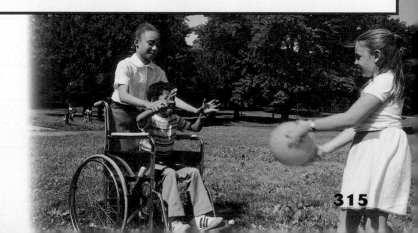

? How will you love and serve others this week?

315

Actividades

1. Lee de nuevo la oración de bendición de Dios.
Completa cada frase. Usa las palabras que faltan para
completar el crucigrama.

¡Dios te (3 vertical) y te (5 horizontal)!
Dios te (6 horizontal).
Dios te (4 horizontal) con buenos ojos.
Dios te (1 vertical) siempre la (2 vertical).

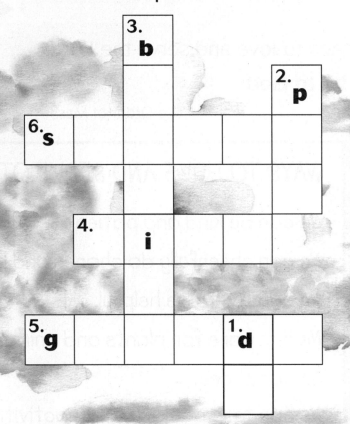

2. Escribe tu propia oración de bendición.

_____

Dios te bendiga y _____

_____

_____

Activities

1. Read the blessing prayer from God again. Complete each sentence. Use the missing words to complete the puzzle.

> May God (3 down) you and keep you (5 across)!
> May God (6 across) upon you.
> May God look upon you (4 across).
> May God always (1 down) you (2 down).

2. Write your own prayer of blessing.

_____

- -

May God bless you and _____

_____

- -

_____ .

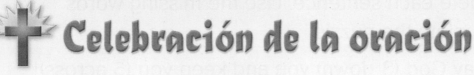

✝ Celebración de la oración

Oración de bendición

Líder: Jesús, te damos gracias por tus bendiciones. Te pedimos que escuches nuestras oraciones.

Lector 1: Protégenos de los peligros y los daños.

Todos: **Bendícenos, Señor.**

Lector 2: Cuida de nuestra vida y nuestra salud.

Todos: **Bendícenos, Señor.**

Lector 3: Ayúdanos a crecer en la sabiduría y el amor.

Todos: **Bendícenos, Señor.**

Lector 4: Cuida de todos los niños del mundo.

Todos: **Bendícenos, Señor.**

Lector 5: Bendice a nuestros padres, a nuestros amigos y a todos los que son amables con nosotros.

Todos: **Bendícenos, Señor.**

Basado en el Orden para la bendición de niños bautizados

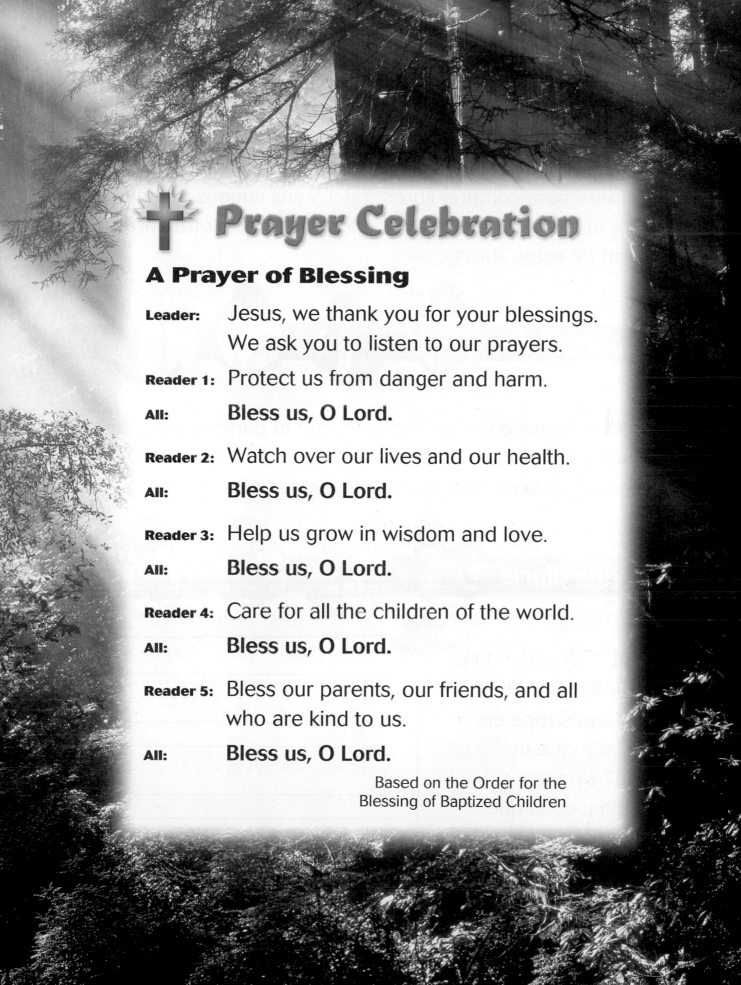

✟ Prayer Celebration

A Prayer of Blessing

Leader: Jesus, we thank you for your blessings. We ask you to listen to our prayers.

Reader 1: Protect us from danger and harm.

All: **Bless us, O Lord.**

Reader 2: Watch over our lives and our health.

All: **Bless us, O Lord.**

Reader 3: Help us grow in wisdom and love.

All: **Bless us, O Lord.**

Reader 4: Care for all the children of the world.

All: **Bless us, O Lord.**

Reader 5: Bless our parents, our friends, and all who are kind to us.

All: **Bless us, O Lord.**

Based on the Order for the
Blessing of Baptized Children

La fe en acción

Compartir con los demás   Los niños de la parroquia de Tyler querían ayudar a los demás. El maestro les habló de una parroquia que necesitaba muchas cosas. Los niños y las niñas de allí no tenían dinero para comprar libros. Tyler y sus amigos decidieron compartir los suyos. Esperaban que los niños de la otra parroquia disfrutaran de estos libros.

En tu parroquia

Actividad   Piensa en las maneras en que tu parroquia ayuda a los necesitados. Quizá los miembros recolecten alimentos y dinero. ¿Cuál crees que sería otra manera de ayudar a los demás?

En la vida diaria

Actividad   Quizá podrías compartir libros u otras cosas. ¿Tienes ropa en buen estado que no te quede? ¿Tienes juguetes o juegos que ya no uses?

Haz una lista de cosas que podrías compartir con los niños necesitados.

320

Faith in Action

Sharing with Others   Children in Tyler's parish wanted to help others. Their teacher told them about a parish with many needs. The boys and girls there had no money to buy books. Tyler and his friends decided to share their books. Tyler's friends hoped the children in the other parish would enjoy these books.

In Your Parish

Activity   Think about ways your parish helps people in need. Maybe members collect food and money. What do you think would be another way to help others?

In Everyday Life

Activity   Maybe there are books or other things you could share. Do you have good clothes that don't fit anymore? Do you have toys, or games that you don't use?

List things that you could share with children in need.

DÍAS FESTIVOS Y TIEMPOS

FEASTS AND SEASONS

El año litúrgico

Los católicos celebramos los tiempos del año litúrgico. Cada domingo empieza una semana especial. Hay cinco tiempos. Cada uno tiene sus símbolos y colores propios.

La **Semana Santa** abarca el Domingo de Ramos, el Jueves Santo, el Viernes Santo y la Pascua. Pensamos en Jesús cuando compartió una comida con sus Apóstoles, en su muerte en la cruz y en su vuelta a una nueva vida.

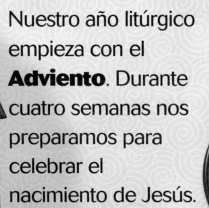

Nuestro año litúrgico empieza con el **Adviento**. Durante cuatro semanas nos preparamos para celebrar el nacimiento de Jesús.

ADVIENTO

Empieza el año litúrgico.

TIEMPO ORDINARIO

En el **Tiempo Ordinario** aprendemos acerca de la vida de Jesús. Este tiempo tiene dos partes: una, entre la Navidad y la Cuaresma; y otra, entre la Pascua y el Adviento.

PASCUA

En la **Pascua** se celebra la Resurrección de Jesús. Es una época de alegría. Dura cincuenta días, hasta Pentecostés. Después celebramos la venida del Espíritu Santo.

El tiempo de la **Cuaresma** dura cuarenta días. Empieza el Miércoles de Ceniza. Nos preparamos para la Pascua mediante la oración y las obras espirituales.

CUARESMA　　**TIEMPO ORDINARIO**

En la **Navidad** celebramos el nacimiento de Jesús. Es una época de intercambios de regalos y de alegría.

NAVIDAD

The Church Year

Catholics celebrate seasons of the church year. Each Sunday begins a special week. There are five seasons. Each has its own symbols and colors.

Holy Week includes Palm Sunday, Holy Thursday, Good Friday, and Easter. We think about Jesus sharing a meal with his Apostles, his dying on a cross, and rising to new life.

HOLY WEEK

Our church year begins with **Advent**. For four weeks we prepare to celebrate the birth of Jesus.

ADVENT

The church year begins.

ORDINARY TIME

In **Ordinary Time** we learn about the life of Jesus. This season has two parts—between the seasons of Christmas and Lent, and between those of Easter and Advent.

Easter celebrates Jesus' Resurrection. It is a season of joy. It lasts fifty days until Pentecost. Then we celebrate the coming of the Holy Spirit.

EASTER

The season of **Lent** lasts forty days. It begins with Ash Wednesday. We prepare for Easter through prayer and spiritual works.

LENT **ORDINARY TIME**

At **Christmas** we celebrate the birthday of Jesus. It is a season of gift-giving and joy.

CHRISTMAS

Domingos y días festivos

El domingo es nuestro día de fiesta más importante. Los domingos celebramos nuestra fe católica.

Nos reunimos en la Misa para celebrar la Resurrección de Jesús. Celebramos la Eucaristía con la comunidad de nuestra parroquia. Es bueno reunirnos en comunidad.

El domingo es un día para estar feliz, descansar y disfrutar en familia.

Durante el año litúrgico, celebramos muchos días festivos. En ellos honramos a Jesús, a María y a los santos. Estos días festivos nos ayudan a crecer en nuestra fe.

Sundays and Feast Days

Sunday is our greatest holy day. Sundays are important days to celebrate our Catholic faith.

We come together at Mass to celebrate Jesus' Resurrection. We celebrate Eucharist with our parish community. It is good to come together in community.

Sunday is a day to be happy, to rest and enjoy being with our families.

We celebrate many feast days during the church year. They honor Jesus, Mary, and the saints. These feast days help us grow in our faith.

El Adviento

 ¿Eres tú el que iba a venir, o tenemos que esperar a otro?

Basado en Mateo 11:3

Preparamos nuestro corazón

El Adviento es el primer tiempo del año litúrgico. Durante el Adviento nos preparamos para que Jesús venga a nuestra vida. Preparamos nuestro corazón para Jesús siendo amorosos y bondadosos.

Actividad

Esta casa de Adviento tiene mensajes escritos en las ventanas. Cada mensaje dice una manera en que podemos preparar nuestro corazón para recibir a Jesús.

Para cada semana de Adviento, elige una ventana y sigue su mensaje.

Ayuda a un vecino o a un familiar con una tarea.

Dona tiempo o dinero para ayudar a alguien necesitado.

Da la bienvenida a un recién llegado a tu iglesia o a tu escuela.

Reza por alguien que no está feliz.

Advent

Are you the one who is to come, or should we look for someone else?

Based on Matthew 11:3

Preparing Our Hearts

Advent is the first season in the church year. During Advent we get ready for Jesus to come into our lives. We prepare our hearts for Jesus by being loving and caring.

Activity

This Advent house has windows with messages written on them. Each message tells one way we can prepare our hearts to welcome Jesus.

For each week of Advent, choose one window and follow its message.

Help a neighbor or a family member with a chore.

Give time or money to help someone in need.

Welcome a newcomer to your church or school.

Pray for someone who is unhappy.

Esperar al Prometido

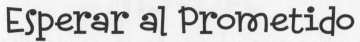

Una lectura de Adviento que se lee en la Misa cuenta la historia de Juan Bautista. Él era primo de Jesús. Les predicaba a las personas en el desierto. Tenía un mensaje especial. Decía: "Preparen el camino al Señor". Quería que las personas prepararan su corazón y su mente para Jesús.

Basado en Mateo 3:3

Cuando Jesús empezó a enseñar, Juan envió mensajeros para que le preguntaran: "¿Eres tú al que la gente ha esperado durante miles de años?". Jesús respondió: "Cuéntenle a Juan que los ciegos ven, los cojos caminan, los sordos oyen, y los pobres han oído la Buena Nueva".

Basado en Mateo 11:2–5

Al oír estas palabras, Juan supo que Jesús era el Señor. La espera había terminado.

Señor Jesús, ven y salva nuestro mundo hoy. Has hecho grandes cosas por nosotros. Estamos llenos de alegría. Amén.

Waiting for the Promised One

One Advent reading at Mass tells the story of John the Baptist. He was a cousin of Jesus. John preached to people in the desert. He had a special message. He said, "Make ready the way of the Lord." He wanted the people to prepare their hearts and minds for Jesus.

Based on Matthew 3:3

When Jesus began teaching, John sent messengers to ask Jesus, "Are you the one for whom the people have been waiting for thousands of years?" Jesus answered, "Tell John that the blind see, the lame walk, the deaf hear, and the poor have heard the good news."

Based on Matthew 11:2–5

Hearing these words, John knew that Jesus was the Lord. The time of waiting was over.

> Lord Jesus, come and save our world today. You have done great things for us. We are filled with joy. Amen.

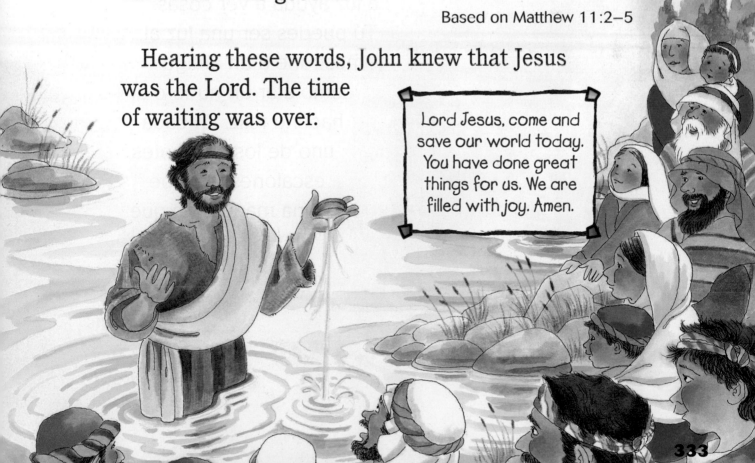

333

La Navidad

Los pastores corrieron hasta Belén y encontraron a María y a José con el recién nacido Jesús.

Basado en Lucas 2:16

Iluminar el camino

Jerry y Manny viven en casas vecinas. Hoy se divirtieron con un juego de computadora en la casa de Manny. Cuando llegó la hora de volver a casa, Jerry vio que ya era de noche. La mamá de su amigo le dio una linterna. La luz le permitió seguir el camino, y pudo llegar a su casa sin problemas.

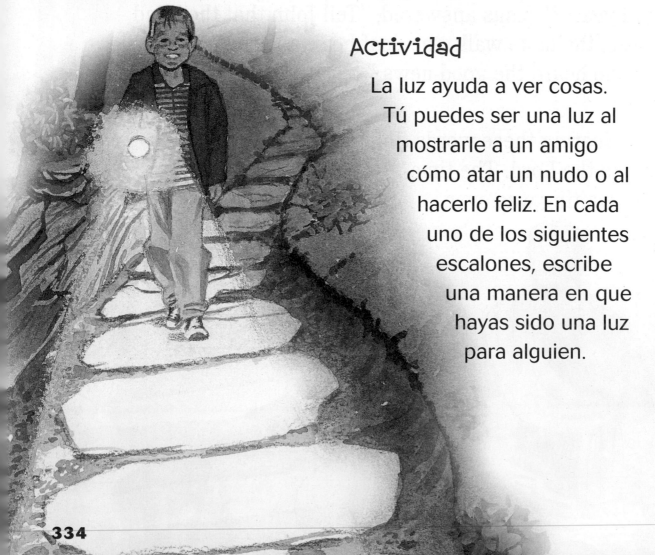

Actividad

La luz ayuda a ver cosas. Tú puedes ser una luz al mostrarle a un amigo cómo atar un nudo o al hacerlo feliz. En cada uno de los siguientes escalones, escribe una manera en que hayas sido una luz para alguien.

Christmas

The shepherds hurried to Bethlehem, where they found Mary and Joseph, and the infant Jesus.

Based on Luke 2:16

Lighting the Way

Jerry and Manny live next door to each other. Today they had fun playing a computer game at Manny's house. When it was time to go home, Jerry saw that it was getting dark outside. His friend's mother gave him a flashlight. The light made it easier for him to see the path. Jerry was able to get home safely.

Activity

Light makes it easier to see things. You can be a light by showing a friend how to do something like tie a knot, or by making that person happy. On each stepping stone below, write a way in which you have been a light to someone.

La Buena Nueva
de la Navidad

Los ángeles anunciaron a los pastores que Jesús había nacido en Belén. ¡Ésta fue de verdad una Buena Nueva! El Hijo de Dios había venido a nuestro mundo. Jesús sería nuestra luz y nuestra vida.

Una manera de celebrar la Navidad en casa es decorar todo con luces. Muchas familias adornan el árbol de Navidad con luces brillantes. Algunos ponen velas en las ventanas. Las luces muestran que estamos felices por la venida de Jesús.

Creemos que Jesucristo es la verdadera Luz del Mundo. Jesús nos muestra el camino para hacer felices a los demás y para vivir siempre como santos.

Jesús,
Luz del Mundo,
ayúdanos a ser luz
para los demás.
Amén.

The Good News of Christmas

Angels announced to shepherds that Jesus had been born in Bethlehem. This was Good News indeed! The Son of God had come into our world. Jesus was to be our light and our life.

One way we celebrate Christmas in our homes is by decorating with lights. Many families trim their Christmas trees with bright lights. Some place candles in their windows. The lights show that we are happy about Jesus' coming.

We believe that Jesus Christ is truly the Light of the World. Jesus shows us the way to bring happiness to others and to always live as holy people.

Jesus,
Light of the World,
help us to be light
for others.
Amen.

La Cuaresma: Cuarenta días

Ten piedad de mí, oh Dios, en tu bondad.

Salmo 51:3

Tiempo de rezar

Durante la Cuaresma recordamos que Jesús dedicó tiempo para rezar. Jesús nos pide que pensemos y recemos como lo hizo Él.

- Rezamos para **pedirle** a Dios que nos ayude a nosotros y a los demás.

- Rezamos para **alabar** la bondad de Dios.

- Rezamos para **darle gracias** a Dios por tantas bendiciones.

Actividad

Piensa en la forma en que rezarás durante la Cuaresma. Completa cada una de las siguientes frases.

Le pediré a Dios que me ayude a

_____

- -

_____.

Alabaré a Dios por

_____

- -

_____.

Le daré gracias a Dios por

_____

- -

_____.

Lent: Forty Days

Have mercy on me, O God, in your goodness.

Psalm 51:3

Time for Prayer

During Lent, we remember how Jesus spent time in prayer. Jesus calls us to think and pray as he did.

- We pray to **ask** God to help us and others.

- We pray to **praise** God's goodness.

- We pray to **thank** God for our many blessings.

Activity

Think about how you will pray during Lent. Complete each sentence below.

I will ask God to help me

_____

- .

I will praise God for

_____

- .

I will thank God for

_____

- .

Los cuarenta días de la Cuaresma

El tiempo de la Cuaresma dura cuarenta días.

Es un tiempo para hacer preguntas. Podríamos decir que la Cuaresma es un "examen de conciencia" de cuarenta días. ¿Estoy actuando como debería hacerlo un miembro de la comunidad de Jesús? ¿Demuestro bondad y caridad hacia los demás? ¿De qué manera puedo ser más amoroso con los demás?

Durante la Cuaresma tratamos de ser mejores seguidores de Jesús. Tratamos de mostrar más amor por los demás. Hacemos buenas obras en nombre de Jesucristo. Rezamos para que el Espíritu Santo nos ayude a hacer buenas elecciones. Al hacer todas estas cosas, mostramos nuestro amor por Dios y por los demás.

Querido Jesús,
ayúdame a elegir cosas
buenas para hacer
durante la Cuaresma.
Amén.

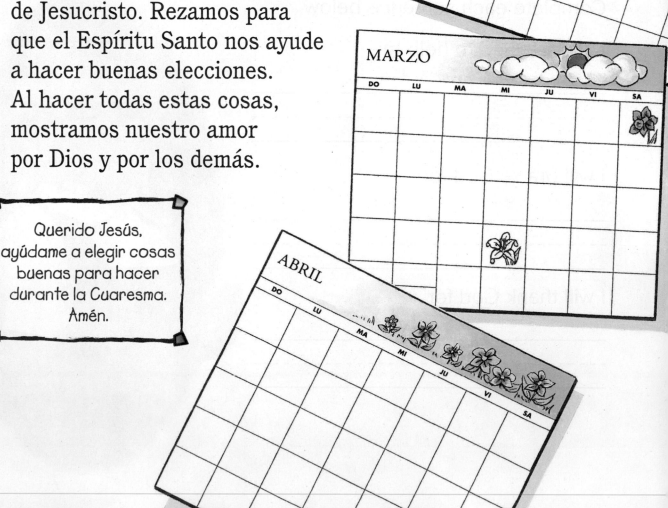

The Forty Days of Lent

The season of Lent lasts for forty days.

Lent is a time to ask questions. We could say that Lent is an "examination of conscience" for forty days. Am I acting the way a member of Jesus' community should act? Do I show care and kindness to other people? In what ways can I be more loving to others?

During Lent we try to become better followers of Jesus. We try to show more love for other people. We do good works in the name of Jesus Christ. We pray that the Holy Spirit will help us make good choices. In doing all these things, we show our love for God and one another.

Dear Jesus, help me to choose good things to do during Lent. Amen.

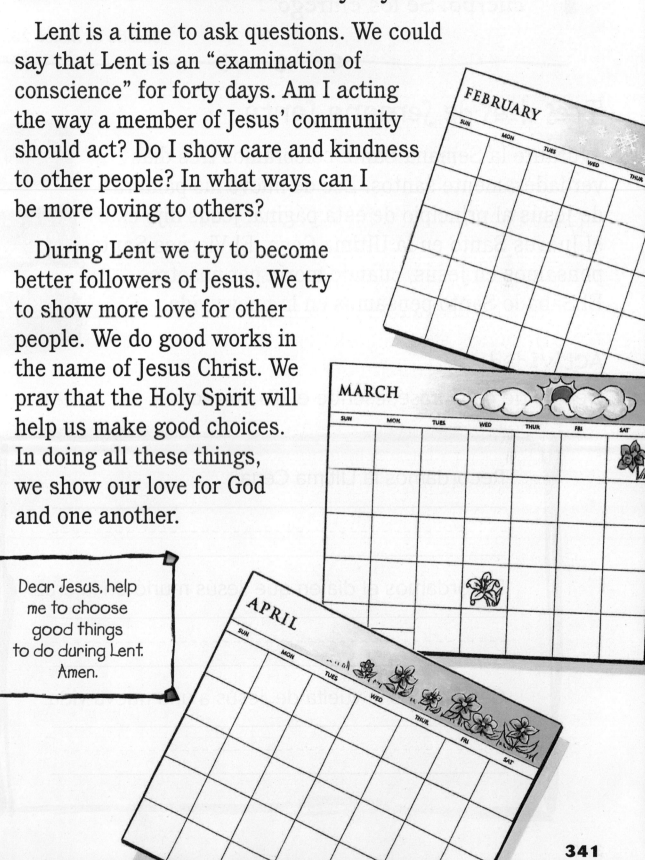

Semana Santa

Jesús dijo: "Tomen y coman este pan. Éste es mi cuerpo. Se los entrego".

Basado en Mateo 26:26

Tres días de Semana Santa

Durante la Semana Santa celebramos tres días verdaderamente santos. Lee de nuevo las palabras de Jesús al principio de esta página. Jesús dijo esto el Jueves Santo en la Última Cena. El Viernes Santo pensamos en Jesús, cuando moría por nosotros. El Sábado Santo pensamos en la nueva vida.

Actividad

Debajo de cada frase, escribe el día correcto.

Recordamos la Última Cena.

Recordamos el día en que Jesús murió en la cruz.

Celebramos la vuelta de Jesús a una nueva vida.

Holy Week

Jesus said, "Take this bread and eat it. This is my Body. I give it to you."

Based on Matthew 26:26

Three Holy Days

During Holy Week we celebrate three very holy days. Read again Jesus' words at the top of this page. Jesus said this on Holy Thursday at the Last Supper. On Good Friday we think of Jesus dying for us. We think of new life on Holy Saturday.

Activity

Write the correct day under each sentence.

We remember the Last Supper.

_____

- -

_____

We remember the day Jesus died on the cross.

_____

- -

_____

We celebrate Jesus' rising to new life.

_____

- -

_____

Tres días antes de la Pascua

Los tres días de fiesta más santos empiezan la noche del Jueves Santo. Ese día recordamos la comida especial que Jesús compartió con sus seguidores. Esta comida se llama la Última Cena. Jesús les dio a sus seguidores su Cuerpo y su Sangre en la Eucaristía. Lo hizo para mostrar su amor y su preocupación por ellos.

El Viernes Santo es otro día santo. Ese día recordamos el sufrimiento y la muerte de Jesús. Recordamos que Jesús murió en la cruz por amor a nosotros.

El Sábado Santo por la noche, celebramos la vuelta de Jesús a una nueva vida. En la Vigilia Pascual empezamos la celebración de la Pascua. Empezamos nuestra nueva vida en Cristo Resucitado.

Jesús, te damos gracias por entregarte a nosotros en la Eucaristía. Amén.

Three Days Before Easter

Our three holiest days begin on Holy Thursday evening. On Holy Thursday we remember the special meal that Jesus shared with his followers. This meal is called the Last Supper. Jesus gave his followers his Body and Blood in the Eucharist. He did this to show his love and concern for them.

Good Friday is another holy day. On Good Friday we remember the suffering and death of Jesus. We remember that Jesus died on the cross because of his love for us.

On the night of Holy Saturday we celebrate Jesus' rising to new life. At the Easter Vigil we begin our Easter celebration. We begin our new life in the Risen Christ.

Jesus,
thank you for
giving yourself to us
in the Eucharist.
Amen.

Pascua

¡He visto a Jesús! ¡Está vivo!

Basado en Juan 20:18

Palabras de alegría

Podemos mostrar de muchas maneras que estamos felices y llenos de alegría. A veces cantamos. Otras veces bailamos. Otras, incluso gritamos y saltamos. ¡Hasta podríamos darle un fuerte abrazo a alguien!

También mostramos nuestra alegría en las palabras que usamos. Estas palabras permiten que los demás sepan lo felices que somos.

Actividad

Encierra en un círculo las palabras que podrías usar para mostrar que estás lleno de alegría.

Easter

I have seen Jesus! He is alive!

Based on John 20:18

Words of Joy

We can show we are happy and filled with joy in many ways. Sometimes we sing. Sometimes we dance. Sometimes we even shout and jump up and down. We might even give someone a great big hug!

We also show our joy in the words we use. These words let others know just how happy we are.

Activity

Circle the words below that you might use to show you are filled with joy.

¡Aleluya! ¡Jesús ha resucitado!

La Pascua es nuestra fiesta más importante. En ella celebramos la Buena Nueva de que Jesús no está muerto. ¡Jesús vive! ¡Está hoy con nosotros!

La comunidad de nuestra parroquia se reúne en la Misa. Cantamos canciones llenas de alegría. Rezamos oraciones de acción de gracias. Le damos gracias a Dios por darle una nueva vida a Jesús.

Decimos "Aleluya" para mostrar lo felices que estamos. ¡Jesús ha resucitado! Aleluya es nuestra palabra de alegría y paz para la Pascua. Durante la Cuaresma, la comunidad de nuestra iglesia no canta "Aleluya". Pero ahora es Pascua, la Resurrección, nuestra fiesta más importante del año litúrgico. Rezamos y cantamos "Aleluya". Escuchamos la Palabra de Dios que habla de la nueva vida de Jesús. Estamos felices y llenos de la alegría de Dios.

Jesús, que has resucitado de la muerte. ¡Aleluya! ¡Aleluya! Amén.

Alleluia! Jesus Is Risen!

Easter is our most important feast. On Easter we celebrate the Good News that Jesus is not dead. Jesus is alive! He is with us today!

Our parish community gathers at Mass. We sing songs filled with joy. We pray prayers of thanksgiving. We thank God for giving new life to Jesus.

We say "Alleluia" to show how happy we are. Jesus has risen! Alleluia is our Easter word of joy and peace. During Lent, our church community does not sing "Alleluia." But now it is Easter, the Resurrection, our greatest feast of the church year. We pray and sing, "Alleluia." We listen to the Word of God that tells of Jesus' new life. We are happy and filled with God's joy.

Jesus,
you are risen
from the dead.
Alleluia! Alleluia!
Amen.

María

**Dios te salve, María, llena eres de gracia,
el Señor es contigo.**

Basado en Lucas 1:28

El Ave María

La Iglesia honra a los santos con las oraciones. María es nuestra santa más importante. La oración que como comunidad de la iglesia usamos con más frecuencia para honrar a María es el Ave María.

Actividad

Reza el Ave María despacio. Completa las palabras que faltan.

Dios te salve, María, llena eres de _____,

el Señor es contigo.

Bendita Tú eres entre todas las mujeres,

_____

y _____ es el fruto de tu

vientre, Jesús.

Santa María, _____ de Dios,

ruega por nosotros, pecadores,

ahora y en la hora de nuestra muerte. _____.

Mary

Hail, Mary, full of grace. The Lord is with you.

Based on Luke 1:28

The Hail Mary

Our Church honors the saints with our prayers. Our greatest saint is Mary. The prayer we use most often as a church community to honor Mary is the Hail Mary.

Activity

Pray the words of the Hail Mary slowly. Fill in the missing words.

Hail, Mary, full of _____,

the Lord is with thee.

Blessed art thou among women,

and _____ is the fruit of thy

womb, Jesus.

Holy Mary, _____ of God

pray for us sinners, now

and at the hour of our death. _____.

Una oración para honrar a María

Gabriel, el ángel de Dios, visitó a María y le dijo: "Dios te salve, María. ¡El Señor es contigo!". El ángel le dijo a María que daría a luz al Hijo de Dios. "El Espíritu Santo y el poder del Altísimo descenderán sobre ti." María amaba y confiaba en Dios. Dijo "sí" con estas palabras: "Hágase en mí tal como has dicho".

Luego María fue a ver a Isabel, su prima. Isabel le dijo a María: "Bendita tú eres entre todas las mujeres, y bendito es el fruto de tu vientre, Jesús".

Basado en Lucas 1:26–42

Las palabras del ángel y las de Isabel están en el Ave María. Con esta oración honramos a María, la Madre de Dios. Le pedimos a María que rece por nosotros ahora. Le pedimos que rece por nosotros siempre. El Ave María es parte de otra oración especial, el Rosario.

Ave María, te honramos como la madre de Jesús y como nuestra madre. Ruega por nosotros.
Amén.

A Prayer to Honor Mary

God's angel, Gabriel, came to Mary and said, "Hail Mary. The Lord is with you!" The angel told Mary that she would give birth to God's own Son. "The Holy Spirit and the power of the Most High will come over you." Mary loved and trusted God. She said "yes" with these words, "May it be done as you say."

Later Mary went to see Elizabeth, her cousin. Elizabeth said to Mary, "Blessed are you among women, and blessed is the fruit of your womb, Jesus."

Based on Luke 1:26–42

The words of the angel and of Elizabeth are in the Hail Mary. With this prayer we honor Mary, the Mother of God. We ask Mary to pray for us now. We ask her to pray for us always. The Hail Mary is part of another special prayer, the Rosary.

> Hail Mary, we honor you as the mother of Jesus and as our mother. Pray for us. Amen.

Santa Margarita de Escocia

Denles de comer.

Basado en Mateo 14:16

Servicio a los demás

Jesús vino para enseñarnos a servirnos unos a otros.
Nos mostró cómo ayudar a las personas.

Actividad

Una imagen muestra a Jesús enseñando. La otra muestra a sus amigos sirviendo alimentos a las personas que tienen hambre.

¿Qué les enseñó a hacer Jesús a sus amigos?

Saint Margaret of Scotland

Give them something to eat.

Based on Matthew 14:16

Service to Others

Jesus came to teach us how to serve one another. He showed us how to help people.

Activity

One picture shows Jesus teaching. The other shows his friends serving food to hungry people.

What did Jesus teach his friends to do?

Santa Margarita de Escocia

Margarita de Escocia era reina. Estaba casada con Malcolm, el rey de Escocia. Eran muy ricos y podrían haber sido egoístas. Pero la reina Margarita no era feliz guardándose todas las riquezas. Así que ella y el rey compartieron su dinero y sus alimentos con los pobres de su país. Les dieron la libertad a los esclavos. Cuidaron de todos los que necesitaban amor.

La reina Margarita rezaba todos los días. Leía la Biblia y enseñaba a sus hijos a amar a Dios. También les enseñó a cuidar de los necesitados. Margarita eligió vivir como lo hizo Jesús.

Con el tiempo, Margarita se convirtió en la santa patrona de Escocia. Hoy honramos a Santa Margarita por su servicio al pueblo de Dios. Es una heroína cristiana. El día de Santa Margarita es el 16 de noviembre.

Santa Margarita de Escocia, reza con nosotros por todos los que hoy están necesitados. Amén.

Saint Margaret of Scotland

Margaret of Scotland was a queen. She was married to Malcolm, the king of Scotland. They were very rich and could have lived selfish lives. But Queen Margaret was not happy keeping all the riches for herself. So she and the king shared their money and food with the poor people of their country. They gave people in slavery their freedom. They cared for everyone who needed love.

Queen Margaret prayed every day. She read the Bible and taught her children to love God. She also taught them to care for people in need. Margaret chose to live as Jesus lived.

In time, Margaret became the patron saint of Scotland. Today we honor Saint Margaret for her service to God's people. She is a Christian hero. November 16 is the feast of Saint Margaret.

> Saint Margaret of Scotland, pray with us for all those people who are in need today. Amen.

Los santos

Miren qué amor nos ha tenido el Padre, que nos llamamos hijos de Dios.

Basado en 1.ª Juan 3:1

Igual pero diferente

Annie sabe que se parece a su mamá. Pero en la forma de actuar, se parece más a su papá. Y en algunas cosas, Annie no se parece a nadie. ¡Es especial!

Michael es adoptado. No se parece a nadie de su familia. Pero en otras cosas, es igual a sus parientes. Es amable. Tiene un buen sentido del humor y le gusta reírse.

Puedes parecerte a algún miembro de tu familia o no. Puedes actuar como tu hermano o tu hermana mayor. O simplemente puedes actuar como tú mismo. Pero en un sentido, eres igual a todos. ¡Eres hijo de Dios! ¡Y eso hace que tú y todos los demás sean muy especiales!

Actividad

Completa la siguiente frase.

Soy especial porque

_____

_____

_____

_____ .

Holy People

See what love the Father has poured out on us.
We are called the children of God.

Based on 1 John 3:1

Same but Different

Annie knows she looks like her mom. But Annie acts more like her dad. And in some ways, Annie is like no one else. She is special!

Michael is adopted. He doesn't look like anyone in his family. But Michael is like his family members in other ways. He is kind. He has a good sense of humor and likes to laugh.

You may or may not look like another family member. Maybe you act like your older brother or sister. Or maybe you just act like yourself. But there is one way in which you are just like everyone else. You are a child of God! And that makes you and everyone else very special!

Activity

Complete the sentence below.

I am special because

_____

_____

_____

_____

El Padre Nelson Baker

En su juventud, Nelson Baker tuvo un buen negocio con un socio. Pero sintió que Dios lo estaba llamando para que fuera sacerdote. En 1876, a los 35 años, fue ordenado.

Poco después se convirtió en director de un orfanato y de una escuela de niños en Nueva York. La organización tenía muchas deudas. El Padre Baker usó el don de sus habilidades empresariales. Formó la Asociación de Our Lady of Victory. Les pidió a todos los miembros de los Estados Unidos que colaboraran con 25 centavos anuales. ¡Se afiliaron tantos que pudo pagar todas las deudas!

El Padre Baker también abrió un hogar para niños y un hospital en 1911. Lo llamaban el "Padre de los Pobres".

El Padre Baker murió en 1936, en el mismo hospital que había fundado. El hospital Our Lady of Victory funcionó hasta el 2002. Luego convirtieron los edificios en apartamentos para personas de bajos ingresos. Se decía que ésa era una manera de continuar con la misión del Padre Baker.

Querido Señor, ayúdanos a seguir el ejemplo del Padre Baker. Haz que usemos nuestros dones como lo hizo él. Amén.

Father Nelson Baker

As a young man, Nelson Baker ran a successful business with a partner. But, Nelson felt that God was calling him to be a priest. In 1876, at the age of 35, he was ordained.

Soon after, Father Baker became the director of an orphanage and a school for boys in New York. The organization was very much in debt. Father Baker used his gift of business skills. He formed the Association of Our Lady of Victory. He asked members across the United States to pay dues of 25 cents a year. So many joined that he was able to pay all debts!

Father Baker also opened a home for infants and a hospital in 1911. He was called "Padre of the Poor."

Father Baker died in 1936 in the very hospital he had founded. Our Lady of Victory Hospital operated until 2002. Then the buildings were made into apartments for low income seniors. People said this was a way of continuing Father Baker's mission.

Dear Lord, help us to follow the example of Father Baker. May we use our gifts as he did. Amen.

Pentecostés

 Recibirán la fuerza del Espíritu Santo cuando venga sobre ustedes.

Hechos 1:8

Compartir la Buena Nueva

A veces oímos más noticias malas que buenas. Necesitamos oír y leer acerca de más cosas buenas que estén pasando en el mundo. Las buenas noticias nos dan esperanza. Nos dan felicidad y paz.

Actividad

Piensa en alguna buena noticia que hayas oído. Escribe un titular para una historia sobre una buena noticia.

¡Hoy habrá muy buen tiempo!

Pensamientos felices página 5

LA **BUENA ♥ NUEVA**

compartir alegría y amor

Feast of Pentecost

You will receive power when the holy Spirit comes upon you.

Acts 1:8

Sharing Good News

Sometimes we hear more bad news than good.
We need to hear and read about more good things
happening in our world. Good news gives us hope.
It brings us happiness and peace.

Activity

Think about some good news you have heard.
Write a headline for a story about good news.

¡Ven, Espíritu Santo!

Después de su Resurrección, Jesucristo les dijo a sus seguidores que esperaran una promesa especial de Dios. Esperaron en Jerusalén con María, la madre de Jesús. Mucha gente empezó a llegar allí. Era la época de la fiesta judía de **Pentecostés**. Los judíos habían llegado de lugares muy lejanos para practicar el culto en el Templo.

Mientras los seguidores de Jesús rezaban juntos, un ruido como el de una fuerte ráfaga de viento llenó la casa donde estaban. Después, sobre cada uno se posó una pequeña llama. El Espíritu Santo vino a darles fuerza. Empezaron a hablarles a las personas sobre Jesús. Compartieron la Buena Nueva con muchas personas. Los seguidores de Jesús aumentaron más y más.

Basado en Hechos 2:1—47

La fiesta de Pentecostés se celebra cincuenta días después de la Pascua. Ese día celebramos el nacimiento de la Iglesia. El Espíritu Santo sigue hoy en la Iglesia. El Espíritu Santo nos fortalece, ayudándonos a seguir a Jesús.

> Espíritu Santo, viniste a guiar a los seguidores de Jesús. Te pedimos que nos ayudes y nos guíes hoy. Amén.

Come, Holy Spirit!

After his Resurrection, Jesus Christ told his followers to wait for a special promise from God. They waited in Jerusalem with Jesus' mother, Mary. Crowds of people began coming to Jerusalem. It was time for the Jewish festival of **Pentecost**. Jews had come from faraway places to worship in the Temple.

As Jesus' followers prayed together, a sound like a strong wind filled the room. Then, small flames of fire rested on each person. The Holy Spirit came to give them strength. They started telling people about Jesus. They shared the Good News with many people. The number of Jesus' followers grew and grew.

Based on Acts 2:1–47

The feast of Pentecost comes fifty days after Easter. On Pentecost, we celebrate the birthday of the Church. The Holy Spirit remains with the Church today. The Holy Spirit makes us strong, helping us to follow Jesus.

Holy Spirit, you came to guide followers of Jesus. We ask you to help and guide us today. Amen.

NUESTRA HERENCIA CATÓLICA

EN QUÉ CREEMOS LOS CATÓLICOS

Tener fe es creer en Dios. Conocemos a Dios por medio de la Biblia y las enseñanzas de la Iglesia.

ACERCA DE
LA BIBLIA

La Biblia es un libro especial acerca de Dios. Los relatos de la Biblia cuentan cómo Dios ama y cuida de todas las personas. Puedes aprender más sobre la Biblia en las páginas 7 a 10.

ACERCA DE
LA TRINIDAD

Hay un solo Dios. Hay tres Personas en Dios: Dios Padre, Dios Hijo y Dios Espíritu Santo. A las tres Personas en Dios las llamamos la **Santísima Trinidad**.

Dios, Padre nuestro

Dios es nuestro Padre celestial. Él nos ama y nos cuida. Dios hizo todas las cosas de la creación con amor.

Jesucristo

Jesucristo es el propio Hijo de Dios. Jesús se hizo hombre. Murió en la cruz y resucitó de entre los muertos por nosotros. Jesús es nuestro Salvador. Nos salva del pecado.

El Espíritu Santo

El Espíritu Santo es también Dios. Recibimos al Espíritu Santo en el Bautismo. Él nos da dones especiales para compartir con los demás.

OUR CATHOLIC HERITAGE

WHAT CATHOLICS BELIEVE

To have faith is to believe in God. We come to know God through the Bible and teachings of the Church.

ABOUT

THE BIBLE

The Bible is a special book about God. Bible stories tell how God loves and cares for all people. You can learn more about the Bible on pages 7–11.

ABOUT

THE TRINITY

There is only one God. There are three Persons in God—the Father, the Son, and the Holy Spirit. We call the three Persons in God the **Holy Trinity.**

God Our Father

God is our heavenly Father. He loves and cares for us. God made everything in creation with love.

Jesus Christ

Jesus Christ is God's own Son. Jesus became a man. He died on the cross and rose from the dead for us. Jesus is our Savior. He saves us from sin.

The Holy Spirit

The Holy Spirit is also God. We receive the Holy Spirit at Baptism. He gives us special gifts to share with others.

ACERCA DE
LA IGLESIA CATÓLICA

Somos Católicos. Somos el Pueblo de Dios. Como seguidores de Jesús, celebramos los sacramentos. Compartimos los dones del Espíritu Santo. Le rezamos a Dios de muchas maneras. Podemos rezar con los demás o a solas.

La Iglesia Católica es nuestra comunidad de fe. Nuestra comunidad de fe comparte la Buena Nueva acerca de Jesús. Parte de ser católicos es ayudar y cuidar de los demás.

ACERCA DE
MARÍA

Dios bendijo a María de una manera especial. La eligió para que fuera la madre de Jesús. María amó y cuidó del Hijo de Dios, Jesús.

También llamamos a María "Madre". Ella es nuestra madre en el cielo. Como una buena madre, María nos ama y nos cuida. El Rosario es una oración especial para honrar a María.

María es nuestra santa más importante. Los santos nos muestran cómo seguir a Jesús.

ACERCA DE
LA NUEVA VIDA POR SIEMPRE

Jesús nos enseña a actuar con amor. Si actuamos con amor, después de morir, seremos felices con Dios en el cielo. El **cielo** es felicidad con Dios por siempre.

THE CATHOLIC CHURCH

We are Catholics. We are the People of God. As followers of Jesus we celebrate the sacraments. We share the gifts of the Holy Spirit. We pray to God in many ways. We can pray with others or by ourselves.

The Catholic Church is our faith community. Our faith community shares the Good News about Jesus. Helping and caring for others is a part of being Catholic.

ABOUT

MARY

God blessed Mary in a special way. God chose Mary to be the mother of Jesus. Mary loved and cared for God's Son, Jesus.

We call Mary "Mother," too. She is our mother in heaven. Like a good mother, Mary loves and cares for us. The Rosary is a special prayer to honor Mary.

Mary is our greatest saint. Saints show us how to follow Jesus.

ABOUT

NEW LIFE FOREVER

Jesus teaches us to act with love. When we act with love, we will be happy with God in heaven after we die. **Heaven** is happiness with God forever.

CÓMO PRACTICAMOS EL CULTO LOS CATÓLICOS

El culto es honrar, dar gracias y alabar a Dios. Practicamos el culto cuando rezamos y cuando celebramos la Eucaristía. Practicamos el culto cuando celebramos los sacramentos.

ACERCA DE
LOS SACRAMENTOS

Los sacramentos son celebraciones del amor de Dios por nosotros. Celebramos que participamos de la nueva vida de Jesús. Hay siete sacramentos.

El **Bautismo** es el sacramento que nos da la bienvenida como miembros nuevos de la Iglesia. Recibimos al Espíritu Santo. El Bautismo nos aleja de todo pecado. Participamos de la nueva vida de Jesús.

La **Confirmación** es el sacramento por el que el Espíritu Santo fortalece nuestra fe en Jesucristo. El Espíritu Santo nos ayuda a compartir la Buena Nueva acerca de Jesús.

La **Eucaristía** es el sacramento en el que compartimos una comida especial con Jesús. Es el don del amor de Dios por nosotros. Cuando celebramos la Eucaristía en la Misa, recordamos el sacrificio de Jesús. Le damos gracias a Dios por darnos el Cuerpo y la Sangre de Cristo.

HOW CATHOLICS WORSHIP

Worship is giving honor, thanks, and praise to God. We worship when we pray and when we celebrate the Eucharist. We worship when we celebrate the sacraments.

ABOUT
THE SACRAMENTS

Sacraments are celebrations of God's love for us. We celebrate that we share in Jesus' new life. There are seven sacraments.

Baptism is the sacrament that welcomes us as new members of the Church. We receive the Holy Spirit. Baptism takes away all sin. We share in the new life of Jesus.

Confirmation is the sacrament in which the Holy Spirit makes our faith in Jesus Christ stronger. The Holy Spirit helps us share the Good News about Jesus.

Eucharist is the sacrament in which we share a special meal with Jesus. The Eucharist is God's gift of love to us. When we celebrate the Eucharist at Mass, we remember the sacrifice of Jesus. We thank God for giving us the Body and Blood of Christ.

La **Reconciliación** es el sacramento que celebra el don del perdón de Dios. También celebra el don del amor de Dios por nosotros. Pedimos perdón por nuestros pecados. Prometemos apartarnos del pecado. Dios nos muestra su misericordia y nos perdona.

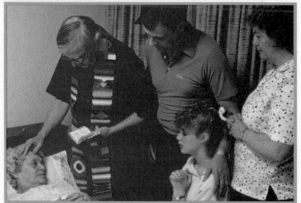

La **Unción de los Enfermos** es un Sacramento de Curación. Es el sacramento de la paz y el perdón de Cristo. Los enfermos, los ancianos o los moribundos reciben este sacramento.

El Sacramento del **Orden Sagrado** consagra a los sacerdotes, diáconos y obispos. Dios llama a estos hombres bautizados a servir a los demás en la Iglesia.

El **Matrimonio** es el sacramento que celebra el amor mutuo entre un hombre y una mujer. El esposo y la esposa comparten el amor de Dios con sus hijos. Se sirven el uno al otro y a la comunidad.

Reconciliation is the sacrament that celebrates the gift of God's forgiveness. It also celebrates the gift of God's love for us. We say we are sorry for our sins. We promise to turn away from sin. God shows mercy and forgives us.

Anointing of the Sick is a Sacrament of Healing. It is the sacrament of Christ's peace and forgiveness. People who are sick, elderly, or dying receive this sacrament.

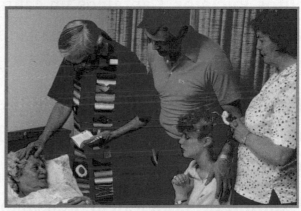

The Sacrament of **Holy Orders** celebrates priests, deacons, and bishops. These baptized men are called by God to serve others in the Church.

Matrimony is the sacrament that celebrates the love of a man and a woman for each other. A husband and wife share God's love with their children. They serve one another and the community.

ACERCA DE

LA RECONCILIACIÓN

Podemos celebrar el Sacramento de la Reconciliación con nuestra comunidad parroquial. Sabemos que todos necesitamos el perdón y la misericordia de Dios.

Ritos Iniciales Cantamos un canto de alabanza. El sacerdote nos da la bienvenida y reza con nosotros.

Palabra de Dios Escuchamos las lecturas de la Biblia. El sacerdote nos ayuda a comprender las lecturas.

Examen de conciencia Pensamos en nuestras palabras y acciones. Le pedimos al Espíritu Santo que nos ayude a apartarnos del pecado. Rezamos juntos el Padre Nuestro.

Rito de la Reconciliación Rezamos una oración de dolor. Cada uno va solo a confesar sus pecados al sacerdote. Hablamos acerca de las palabras y las acciones de las que nos arrepentimos. Luego pedimos perdón. Recibimos una penitencia. El sacerdote nos da la absolución: el perdón de Dios.

Proclamación de alabanza Alabamos y damos gracias a Dios. Estamos felices porque Dios nos perdona. Estamos felices porque Dios nos ama ahora y siempre.

Oración de acción de gracias y despedida El sacerdote nos da una bendición. Cantamos un canto de alabanza.

ABOUT
RECONCILIATION

We can celebrate the Sacrament of Reconciliation with our parish community. We know that we all need God's forgiveness and mercy.

Introductory Rites We sing a song of praise. The priest welcomes us and prays with us.

The Word of God We listen to readings from the Bible. The priest helps us understand the readings.

Examination of Conscience We think about our words and actions. We ask the Holy Spirit to help us turn away from sin. We pray the Lord's Prayer together.

Rite of Reconciliation We pray a prayer of sorrow. We each go alone to confess our sins to the priest. We talk about the words or actions for which we are sorry. Then we ask for forgiveness. We receive a penance. The priest gives us absolution—the forgiveness of God.

Proclamation of Praise We praise and thank God. We are happy that God forgives us. We are happy that he loves us always and forever.

Concluding Prayer of Thanksgiving The priest offers a blessing for us. We sing a song of praise.

Pasos de la Reconciliación

Cuando recibimos el Sacramento de la Reconciliación, nos reunimos con el sacerdote. Seguimos estos pasos:

1. **Examen de conciencia**   Examino mi conciencia. Me hago algunas preguntas importantes. ¿Le hice daño a otras personas o a mí mismo? ¿He hecho cosas perjudiciales a propósito?

2. **Bienvenida**   El sacerdote me da la bienvenida. Hago la Señal de la Cruz y digo: "En el nombre del Padre, y del Hijo, y del Espíritu Santo. Amén".

3. **Lectura**   El sacerdote puede leer un relato de la Biblia. Éste tratará del amor, la misericordia y el perdón de Dios.

4. **Confesión de los pecados** El sacerdote escucha mientras hablo. Explico mis pecados. Le digo al sacerdote cómo me hice daño a mí o a los demás.

5. **Penitencia**   El sacerdote me pide que rece una oración o que haga un acto bondadoso. Esta penitencia me ayudará a compensar lo que haya hecho mal.

Steps to Reconciliation

When we receive the Sacrament of Reconciliation we meet with the priest. We follow these steps:

1. **Examination of Conscience**
   I examine my conscience. I ask myself some important questions. Have I hurt other people or myself? Have I done hurtful things on purpose?

2. **Welcome**   The priest welcomes me. I make the Sign of the Cross and say, "In the name of the Father, and of the Son, and of the Holy Spirit. Amen."

3. **Reading**   The priest may read a story from the Bible. The story will be about God's love, mercy, and forgiveness.

4. **Confession of Sins**   The priest listens as I talk. I explain my sins. I tell the priest how I may have hurt myself or others.

5. **Penance**   The priest asks me to say a prayer or do an act of goodness. This penance will help me make up for what I have done wrong.

6. **Oración de arrepentimiento** Le digo a Dios que me arrepiento de mis pecados. Rezo una oración de arrepentimiento. Esta oración también se llama Oración del Penitente.

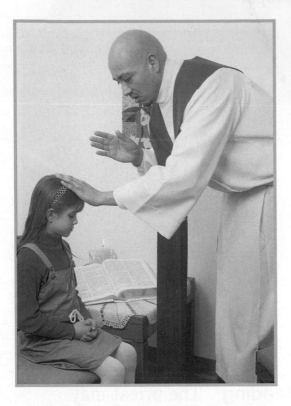

 la página 16 para encontrar la Oración del penitente.

7. **Absolución** El sacerdote reza una oración en nombre de la Iglesia. Después le pide a Dios que perdone mis pecados. Me da la absolución, que es el perdón de Dios.

   El sacerdote dice: "Yo te absuelvo de tus pecados, en el nombre del Padre, y del Hijo, y del Espíritu Santo".

8. **Oración de acción de gracias y despedida** Junto con el sacerdote, doy gracias a Dios por perdonarme. Ésta se llama oración de acción de gracias. Después el sacerdote me dice: "Ve en paz".

   Respondo: "Amén".

6. **Prayer of Sorrow** I tell God I am sorry for my sins. I say a Prayer of Sorrow. This prayer is also called an Act of Contrition.

GO TO page 17 for a Prayer of Sorrow.

7. **Absolution** The priest says a prayer in the name of the Church. Then he asks God to forgive my sins. The priest gives me absolution, which is the forgiveness of God.

The priest says, "I absolve you from your sins in the name of the Father, and of the Son, and of the Holy Spirit."

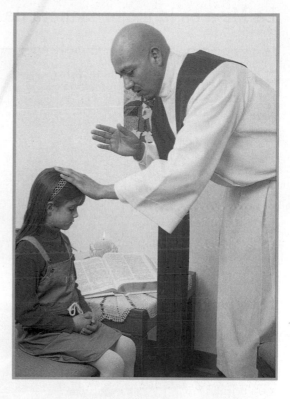

8. **Prayer of Thanksgiving and Dismissal** With the priest, I thank God for being forgiving. This is called the Prayer of Thanksgiving. Then the priest says to me, "Go in peace."

I answer, "Amen."

ACERCA DE
LA MISA

La Misa es la mejor manera de venerar a Dios.

1. Empieza nuestra celebración. El sacerdote y los demás ministros van al altar. Nos ponemos de pie y cantamos una canción de bienvenida.

2. Hacemos la Señal de la Cruz. El sacerdote nos da la bienvenida con estas palabras: "El Señor esté con vosotros". Respondemos: "Y con tu espíritu".

3. Recordamos nuestros pecados. Le pedimos a Dios y a las otras personas que nos perdonen. Entonces cantamos o decimos el Gloria. Ésta es una oración de alabanza y de acción de gracias.

ABOUT
THE MASS

The Mass is the best way to worship God.

1. Our celebration begins. The priest and the other ministers walk to the altar. We stand and sing a song of welcome.

2. We make the Sign of the Cross. The priest welcomes us with these words: "The Lord be with you." We answer, "And with your spirit."

3. We remember our sins. We ask God and other people to forgive us. We then sing or say the Gloria. It is a prayer of praise and thanks.

La Liturgia de la Palabra

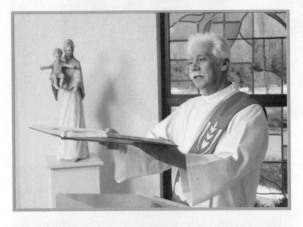

4. Escuchamos la Palabra de Dios de las lecturas de la Biblia. Después de las dos primeras lecturas decimos: "Te alabamos, Señor". Cantamos las respuestas a un salmo de la Biblia.

5. Nos paramos para cantar el "Aleluya". El sacerdote o el diácono lee el relato del Evangelio. Escuchamos la Buena Nueva de Jesús. Decimos: "Gloria a ti, Señor Jesús".

6. El sacerdote o el diácono da un discurso llamado homilía. Nos ayuda a comprender las lecturas de la Biblia.

7. Nos paramos y rezamos el Credo de Nicea. Decimos lo que creemos como católicos. En la Oración de los Fieles le pedimos a Dios que ayude a todo su Pueblo.

The Liturgy of the Word

4. We listen to the Word of God in readings from the Bible. After the first two readings we say, "Thanks be to God." We sing responses to a Bible psalm.

5. We stand to sing "Alleluia." The priest or deacon reads the Gospel story. We listen to the Good News of Jesus. We say, "Praise to you, Lord Jesus Christ."

6. The priest or deacon gives a talk called a homily. It helps us understand the Bible readings.

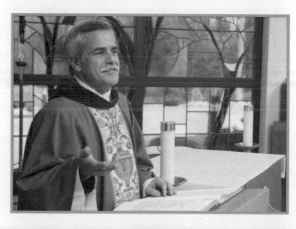

7. We stand and pray the Nicene Creed. We say what we believe as Catholics. In the Prayer of the Faithful we ask God to help all of the People of God.

La Liturgia Eucarística

8. Llevamos al altar los dones del pan y del vino. Nos preparamos para compartir una comida especial con Jesús. Recordamos que Jesús siempre nos ama.

9. El sacerdote ofrece nuestros dones del pan y del vino a Dios. Damos gracias y alabamos a Dios por todas nuestras bendiciones. En especial, le damos gracias por el don de Jesús.

10. El sacerdote reza como Jesús lo hizo en la Última Cena. A través del Espíritu Santo, el pan y el vino se convierten en el Cuerpo y la Sangre de Jesucristo.

11. Rezamos una oración de fe. Podemos decir: "Anunciamos tu muerte, proclamamos tu resurrección. ¡Ven, Señor Jesús!". El sacerdote reza una oración para alabar a Dios. Respondemos: "Amén".

The Liturgy of the Eucharist

8. We bring gifts of bread and wine to the altar. We prepare to share a special meal with Jesus. We remember that Jesus always loves us.

9. The priest offers our gifts of bread and wine to God. We thank and praise God for all of our blessings. We especially thank God for the gift of Jesus.

10. The priest prays as Jesus did at the Last Supper. Through the Holy Spirit bread and wine become the Body and Blood of Jesus Christ.

11. We say a prayer of faith. We may say, "We proclaim your Death, O Lord, and profess your Resurrection until you come again." The priest says a prayer to praise God. We answer, Amen."

12. Rezamos juntos el Padre Nuestro. Ésta es la oración que Jesús nos enseñó.

13. Nos damos mutuamente una Señal de la Paz. Esta señal nos recuerda vivir como Jesús nos enseñó a hacerlo.

14. Recibimos el Cuerpo y la Sangre de Cristo en la comunión. Decimos: "Amén". Cantamos juntos una canción para la comunión. Damos gracias y alabanzas por el don de Jesucristo en la Eucaristía.

15. El sacerdote nos da la bendición de Dios. Vamos en paz a amar y a servir a los demás.

Ordinario de la Misa

12. We pray the Lord's Prayer together. This is the prayer that Jesus taught us to say.

13. We offer one another a Sign of Peace. This sign reminds us to live as Jesus teaches us to live.

14. We receive the Body and Blood of Christ at Communion. We say, "Amen." Together we sing a communion song. We give thanks and praise for the gift of Jesus Christ in the Eucharist.

15. The priest gives us God's blessing. We go in peace to love and serve all people.

The Order of Mass

CÓMO VIVIMOS LOS CATÓLICOS

Dios quería ayudar a todos a llevar una vida buena. Nos dio los Diez Mandamientos. Jesús nos enseña cómo vivir. Nos da al Espíritu Santo para que nos ayude a hacer buenas elecciones.

ACERCA DEL
GRAN MANDAMIENTO

El **Gran Mandamiento** nos dice cómo amar a Dios y a los demás. Jesús dijo: "Ama a Dios con todo tu corazón. Ama a tu prójimo como a ti mismo".

Basado en Marcos 12:30–31; Deuteronomio 6:5

ACERCA DEL
NUEVO MANDAMIENTO

Jesús nos dio el **Nuevo Mandamiento**. Dijo: "Ámense unos a otros como yo los he amado".

Basado en Juan 13:34

Dios quiere que seamos personas amorosas. Mostramos nuestro amor cuidando de todos los seres vivos. Cuando no tratamos a los demás con amor, pecamos. El pecado es apartarnos de Dios. Es elegir hacer cosas perjudiciales a propósito. El Espíritu Santo nos ayuda a estar alejados del pecado y a elegir lo que es bueno.

HOW CATHOLICS LIVE

God wanted to help everyone lead good lives. God gave us the Ten Commandments. Jesus teaches us how to live. Jesus gives us the Holy Spirit to help us make good choices.

ABOUT
THE GREAT COMMANDMENT

The **Great Commandment** tells us how to love God and other people. Jesus said, "Love God with all your heart. Love your neighbor as yourself."

Based on Mark 12:30–31; Deuteronomy 6:5

ABOUT
THE NEW COMMANDMENT

Jesus gave us the **New Commandment**. He said, "Love one another as I have loved you."

Based on John 13:34

God wants us to be loving people. We show our love by caring for all living things. When we do not treat others with love, we sin. Sin is turning away from God. It is choosing to do hurtful things on purpose. The Holy Spirit helps us stay away from sin and choose what is good.

ACERCA DE
LAS BIENAVENTURANZAS

La Biblia nos cuenta un relato de Jesús como gran maestro.
El relato se llama "El sermón de la montaña" (Mateo 5:1–10).
Jesús les enseñó a sus seguidores las ocho Bienaventuranzas.
Las Bienaventuranzas nos dicen cómo vivir.

Las Bienaventuranzas	Vivir las Bienaventuranzas
Felices los que tienen el espíritu del pobre, porque de ellos es el Reino de los Cielos.	Tenemos el espíritu del pobre cuando sabemos que necesitamos a Dios más que a cualquier otra cosa.
Felices los que lloran, porque ellos serán consolados.	Tratamos de ayudar a los que están tristes o a los que sufren. Sabemos que Dios los consolará.
Felices los pacientes, porque ellos recibirán todo lo que Dios ha prometido.	Somos amables y pacientes con los demás. Creemos que participaremos de las promesas de Dios.
Felices los que tienen hambre y sed de justicia, porque serán saciados.	Tratamos de ser imparciales y justos con los demás. Compartimos lo que tenemos con los necesitados.
Felices los misericordiosos, porque ellos recibirán misericordia.	Perdonamos a los que son poco amables con nosotros. Aceptamos el perdón de los demás.
Felices los de corazón limpio, porque verán a Dios.	Tratamos de mantener a Dios en el primer lugar de nuestra vida. Creemos que viviremos por siempre con Dios.
Felices los que trabajan por la paz, porque ellos serán llamados hijos de Dios.	Tratamos de llevar la paz de Dios al mundo. Cuando vivimos pacíficamente, nos conocen como hijos de Dios.
Felices los que reciben trato injusto por hacer lo correcto, porque de ellos es el Reino de los Cielos.	Tratamos de hacer lo correcto aun cuando se burlen de nosotros o nos insulten. Creemos que estaremos con Dios por siempre.

ABOUT
THE BEATITUDES

The Bible tells us a story of Jesus as a great teacher. The story is called "The Sermon on the Mount" (Matthew 5:1–10). Jesus taught his followers eight Beatitudes. The Beatitudes tell us how to live.

The Beatitudes	Living the Beatitudes
Happy are the poor in spirit. The reign of God is theirs.	We are poor in spirit when we know that we need God more than anything else.
Happy are the sorrowful. They will be comforted.	We try to help those who are in sorrow or those who are hurting. We know God will comfort them.
Happy are the gentle. They will receive all that God has promised.	We are gentle and patient with others. We believe we will share in God's promises.
Happy are those who hunger and thirst for justice. They will be satisfied.	We try to be fair and just toward others. We share what we have with those in need.
Happy are those who show mercy. They will receive mercy.	We forgive those who are unkind to us. We accept the forgiveness of others.
Happy are the pure of heart. They will see God.	We try to keep God first in our lives. We believe we will live forever with God.
Happy are the peacemakers. They will be called the children of God.	We try to bring God's peace to the world. When we live peacefully, we are known as God's children.
Happy are those who are treated unfairly for doing what is right. The kingdom of heaven will belong to them.	We try to do what is right even when we are teased or insulted. We believe we will be with God forever.

ACERCA DE
LOS DIEZ MANDAMIENTOS

Podemos encontrar los mandamientos de Dios en la Biblia (Éxodo 20:1–17). Los Diez Mandamientos nos ayudan a distinguir el bien del mal. Son las leyes de Dios. Cuando vivimos de acuerdo con ellas, crecemos en santidad.

Vivir las leyes de Dios

1. Yo soy el Señor, tu Dios. No tendrás para ti otros dioses fuera de mí.

2. No tomes el nombre del Señor, tu Dios, en vano.

3. Acuérdate del día Sábado, para santificarlo.

4. Respeta a tu padre y a tu madre.

5. No mates.

6. No cometas adulterio.

7. No robes.

8. No atestigües en falso contra tu prójimo.

9. No codicies la mujer de tu prójimo.

10. No codiciarás nada de lo que le pertenece a tu prójimo.

ABOUT
THE TEN COMMANDMENTS

We can find God's commandments in the Bible
(Exodus 20:1–17). The Ten Commandments help
us know right from wrong. They are God's laws.
When we live by them, we grow in holiness.

Living God's Laws

1. I, the Lord, am your God. You shall not have other gods besides me.

2. You shall not take the name of the Lord, your God, in vain.

3. Remember to keep holy the Sabbath day.

4. Honor your father and mother.

5. You shall not kill.

6. You shall not commit adultery.

7. You shall not steal.

8. You shall not bear false witness against your neighbor.

9. You shall not covet your neighbor's wife.

10. You shall not covet anything that belongs to your neighbor.

ACERCA DE
LAS VOCACIONES

Dios nos llama a cada uno a vivir nuestra vida de una manera especial. Esto se llama nuestra **vocación**.

Dios llama a algunas personas para una vocación religiosa. Éste es un llamado para una forma especial de vida en la Iglesia. Los sacerdotes, los diáconos y las hermanas y hermanos religiosos tienen vocación religiosa. Los sacerdotes realizan la obra de Jesús diciendo la Misa, celebrando los sacramentos y dirigiendo la comunidad de la parroquia.

Los católicos pueden:

- ayudar en la Misa leyendo la Sagrada Escritura, dirigiendo canciones o dando la Sagrada Comunión a las personas;

- compartir el mensaje del Evangelio de Jesús;

- tratar con justicia a todas las personas.

Algunas hermanas y hermanos religiosos se dedican a enseñar. Algunos ayudan a los pobres. Otros sirven como líderes de la parroquia.

Los diáconos sirven de muchas maneras. En la Misa pueden leer el Evangelio o dar la homilía. Celebran el Sacramento del Bautismo y del Matrimonio. También ayudan a los necesitados.

Cuando crezcas, Dios te llamará para que sirvas en tu comunidad católica. Podrías leer la Sagrada Escritura en la Misa o ser maestro. Quizá Dios te llame para una vocación religiosa.

ABOUT
VOCATIONS

God calls each of us to live our lives in a special way. This is called our **vocation**.

God calls some people to a religious vocation. This is a call to a special way of life in the Church. Priests, deacons, and religious sisters and brothers have a religious vocation. Priests do the work of Jesus by saying Mass, celebrating the sacraments and leading the parish community.

Catholics can

- help at Mass by reading Scripture, leading songs, or giving Holy Communion to people.
- share the Gospel message of Jesus.
- treat all people fairly.

Some religious sisters and brothers teach. Some help the poor. Others serve as parish leaders.

Deacons serve in many ways. At Mass they can read the Gospel or give the homily. They celebrate the sacraments of Baptism and Matrimony. Deacons also help people who are in need.

As you get older, God will call you to service in your Catholic community. You might read Scripture at Mass. You might be a teacher. Perhaps God will call you to a religious vocation.

ACERCA DE
LAS HERMANAS RELIGIOSAS

Las hermanas religiosas tienen una vocación especial. Pertenecen a grupos llamados comunidades. Pasan su vida trabajando para Dios y para todo el Pueblo de Dios.

Algunas son maestras. Algunas trabajan con los pobres, los enfermos y los ancianos. Otras son misioneras. Llevan la Buena Nueva del Evangelio a personas de otros países del mundo.

Cada hermana religiosa hace promesas importantes. Promete amar y servir a Dios. Promete vivir una vida sencilla. Promete ser un ejemplo del bien. Y promete mostrar a los demás cómo se vive una vida cristiana buena.

ABOUT
RELIGIOUS SISTERS

Religious sisters have a special vocation. They belong to groups called communities. They spend their lives working for God and for all of God's people.

Some sisters are teachers. Some sisters work with the poor, the sick, and the elderly. Still others are missionaries. They bring the Good News of the Gospel to people in countries all over the world.

Each religious sister makes important promises. She promises to love and serve God. She promises to live a simple life. She promises to be an example of what is good. And, she promises to show others how to live a good Christian life.

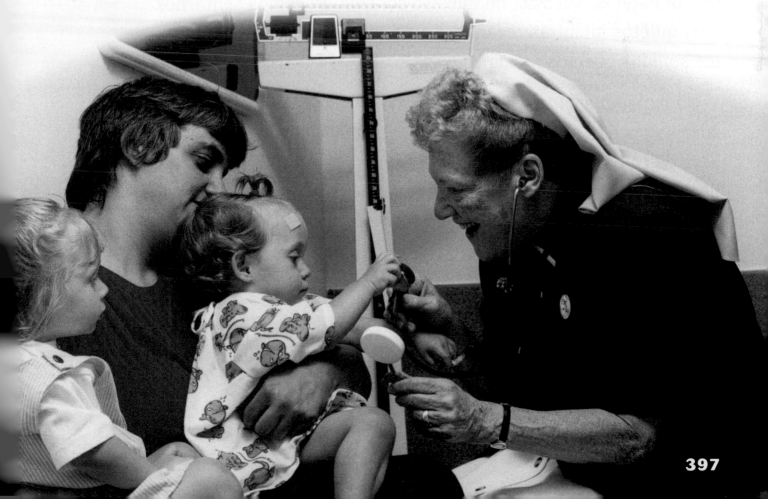

CÓMO REZAMOS LOS CATÓLICOS

La oración es hablar con Dios y escucharlo. Podemos rezar en cualquier lugar y en cualquier momento. Dios está en todas partes. Dios siempre escucha nuestras oraciones.

ACERCA DE
LAS CLASES DE ORACIÓN

Cuando rezamos, pasamos tiempo con Dios. Tenemos que rezar todos los días. Todos podemos rezar. Hay muchas razones para hacerlo. Podemos rezar por alguien que amamos. Podemos rezar una oración de arrepentimiento a Dios. Podemos rezar sólo para compartir nuestros pensamientos con Dios. Podemos decir: "Te amo, Dios" o "Te doy gracias, Dios".

Podemos rezar con otros, como lo hacemos en la Misa, o decir una oración en silencio, en nuestro corazón. Podemos sentarnos muy quietos mientras rezamos o sólo escuchar los sonidos que nos rodean.

Un baile, una canción o una sonrisa pueden ser una oración. Si nuestro corazón está lleno de amor, nuestros actos se convierten en oraciones especiales.

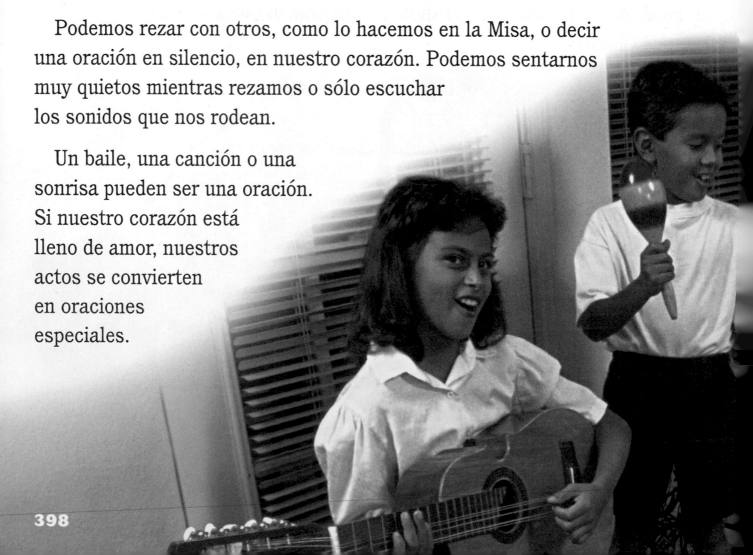

HOW CATHOLICS PRAY

Prayer is talking and listening to God. We can pray anywhere and at any time. God is everywhere. God always hears our prayers.

ABOUT
KINDS OF PRAYER

When we pray, we spend time with God. We need to pray every day. Everyone can pray. There are many reasons to pray. We can pray for someone we love. We can say a prayer of sorrow to God. We can pray just to share our thoughts with God. We can say, "I love you, God." We can pray to say, "Thank you, God."

We can pray with others, as we do at Mass. We can pray by saying a prayer quietly in our hearts. We can pray by sitting very still. We can just listen to the sounds around us.

A dance, a song, and a smile can each be a prayer. If our hearts are filled with love, then our actions become special prayers.

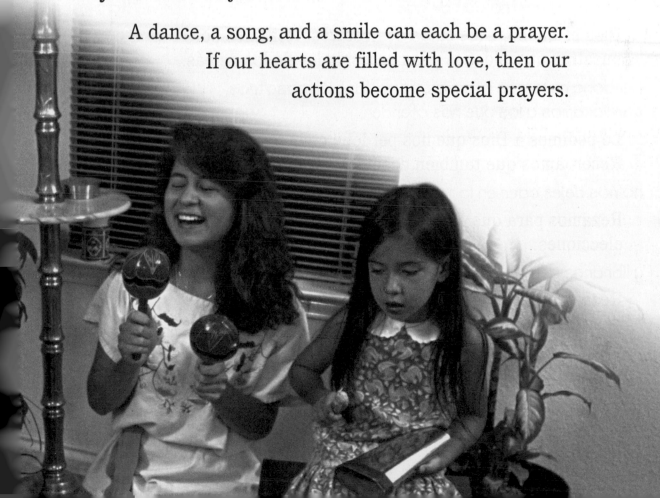

ACERCA DEL
PADRE NUESTRO

El Padre Nuestro es una oración a Dios, nuestro Padre amoroso. Jesús nos enseñó qué palabras decir. En esta oración honramos a Dios.

El Padre Nuestro

Padre nuestro, que estás en el cielo, santificado sea tu Nombre;

Dios es nuestro Padre. Lo alabamos. Rezamos para que todos digan el nombre de Dios con amor.

venga a nosotros tu reino;

Jesús nos habló sobre el Reino de Dios. El Reino de Dios es la felicidad con Dios para siempre.
Rezamos para que todo el mundo conozca el amor de Dios.

hágase tu voluntad en la tierra como en el cielo.

Rezamos para que todos vivan en paz. Rezamos para que todos sigan la Palabra de Dios.

Danos hoy nuestro pan de cada día;

Dios es bueno. Dios cuida de nosotros. Rezamos por nuestras necesidades y las necesidades de los demás.

perdona nuestras ofensas, como también nosotros perdonamos a los que nos ofenden;

Le pedimos a Dios que nos perdone cuando pecamos. Recordamos que también debemos perdonar a los demás.

no nos dejes caer en la tentación,

Rezamos para que Dios nos ayude a hacer buenas elecciones.

y líbranos del mal.

Rezamos para que Dios nos proteja de las cosas que pueden hacernos daño.

Amén.

Nuestro "Amén" dice que la oración de Jesús también es nuestra oración.

THE LORD'S PRAYER

The Lord's Prayer is a prayer to God, our loving Father. Jesus taught us the words to say. In this prayer we honor God.

The Lord's Prayer

Our Father who art in heaven, hallowed be thy name.

God is our Father. We praise God.
We pray that everyone will say God's name with love.

Thy kingdom come.

Jesus told us about God's kingdom. God's kingdom is happiness with God forever.
We pray that everyone in the world will know God's love.

Thy will be done on earth as it is in heaven.

We pray that everyone will live in peace. We pray that everyone will follow God's Word.

Give us this day our daily bread,

God is good. God cares for us. We pray for our needs and for the needs of others.

and forgive us our trespasses as we forgive those who trespass against us,

We ask God to forgive us when we sin. We remember that we must forgive others, too.

and lead us not into temptation,

We pray that God will help us make good choices.

but deliver us from evil.

We pray that God will protect us from things that may harm us.

Amen.

Our "Amen" says that Jesus' prayer is our prayer, too.

Glosario

absolución La absolución es el perdón de Dios que el sacerdote nos da en el sacramento de la Reconciliación. (página 102)

alabanza La alabanza es una manera alegre de rezar que celebra la bondad de Dios. (página 72)

Bautismo En el sacramento del Bautismo la Iglesia da la bienvenida a los nuevos miembros. El Bautismo quita el pecado original y los demás pecados. (página 42)

bendecir *Bendecir* significa "pedir la buena voluntad de Dios hacia alguien". (página 312)

bendición La bendición es una oración que pide los dones de Dios para los demás y para nosotros mismos. (página 312)

Biblia La Biblia es la Palabra de Dios escrita. También se llama la Sagrada Escritura. (página 150)

cielo El cielo es felicidad con Dios por siempre. (página 368)

conciencia Nuestra conciencia nos ayuda a distinguir el bien del mal. (página 90)

confesión La confesión es la declaración de nuestros pecados a un sacerdote en el Sacramento de la Reconciliación. (página 102)

Confirmación La confirmación es el sacramento en el que el Espíritu Santo fortalece nuestra fe en Jesucristo. (página 370)

contrición *Contrición* significa "arrepentirse y querer estar alejado del pecado". (página 132)

creación Dios hizo toda la creación buena. (página 150)

Credo de Nicea Los católicos dicen lo que creen cuando rezan el Credo de Nicea en la Misa. (página 164)

Diez Mandamientos Los Diez Mandamientos son las leyes de Dios que nos ayudan a saber cómo vivir bien. (página 116)

dones espirituales El Espíritu Santo nos da los dones espirituales. Algunos de estos dones son entendimiento, sabiduría, curación y fe. (página 268)

Eucaristía   La Eucaristía es un sacrificio y una comida especial de acción de gracias. Recibimos el Cuerpo y la Sangre de Cristo. (página 224)

Evangelio   El Evangelio es la Buena Nueva de Jesús en la Biblia. Los cuatro evangelios cuentan la Buena Nueva de la vida y las enseñanzas de Jesús. (página 164)

gracia   El don de la gracia es le presencia amorosa de Dios en nuestra vida. (página 104)

Gran Mandamiento   El Gran Mandamiento es la enseñanza de Jesús acerca de cómo amar a Dios, a nosotros mismos y a los demás. (página 388)

Hijo de Dios   El Hijo de Dios es un nombre especial para Jesús. Jesús es el Hijo único de Dios. (página 150)

homilía   La homilía es una charla que un sacerdote o un diácono da. Nos ayuda a entender las lecturas de la Biblia que escuchamos en la Misa. (página 164)

justicia   *Justicia* significa "trato imparcial hacia los demás". (página 298)

libre albedrío   El libre albedrío es la libertad que Dios nos da para distinguir entre el bien y el mal. (página 90)

Liturgia de la Palabra   En la Liturgia de la Palabra escuchamos la Palabra de Dios de la Biblia durante la Misa. (página 164)

Liturgia Eucarística   La Liturgia Eucarística comienza mientras nos preparamos para compartir una comida especial en la Misa. (página 222)

Matrimonio   El Matrimonio es el sacramento en el que un hombre y una mujer prometen ser fieles el uno al otro para toda su vida. (página 284)

Misa   La Misa es una comida especial que Jesús comparte con nosotros. Es un sacrificio y una celebración. (página 30)

Nuevo Mandamiento   El Nuevo Mandamiento de Jesús es: "Ámense unos a otros como yo los he amado". (página 238)

obras de misericordia	Las obras de misericordia nos dicen cómo prestar atención a las necesidades de los demás. (página 178)
ofensas	Las ofensas son pecados o maldades. (página 252)
Oración de los Fieles	La Oración de los Fieles es la última parte de la Liturgia de la Palabra, en la Misa. Por medio de esta oración, rezamos por las necesidades de la gente en todo el mundo. (página 192)
oración del penitente	La oración del penitente es una oración para decirle a Dios que nos arrepentimos de nuestros pecados. (página 132)
oración	La oración es hablar con Dios y escucharlo. (página 72)
Orden Sagrado	El Orden Sagrado es el sacramento en el que se ordena a los obispos, los sacerdotes y los diáconos a un servicio especial. (página 284)
Padre Nuestro	El Padre Nuestro es la oración que Jesús nos enseñó. (página 252)
Palabra de Dios	La Palabra de Dios es Dios hablando con nosotros a través de la Sagrada Escritura. (página 150)
paz	La *paz* significa "llevarse bien con los demás". (página 298)
pecado original	El pecado original es el pecado que cometieron el primer hombre y la primera mujer. (página 44)
pecados mortales	Los pecados mortales son pecados graves que nos apartan de nuestra amistad con Dios. (página 118)
pecados veniales	Los pecados veniales son pecados menos graves que debilitan nuestra amistad con Dios. (página 118)
pecar	Pecar es hacer cosas perjudiciales a propósito. Pecar es desobedecer a Dios. (página 90)
penitencia	La penitencia es una oración o una buena acción para compensar por el daño causado por el pecado. (página 130)

Pueblo de Dios   El Pueblo de Dios son los seguidores de Jesucristo. (página 30)

Reconciliación   La Reconciliación es un Sacramento de Curación que celebra el amor y el perdón de Dios. (página 102)

Resurrección   La Resurrección es la vuelta de Jesucristo de entre los muertos a nueva vida. (página 210)

sacramentos   Los sacramentos son signos especiales del amor y la presencia de Dios. (página 44)

sacrificio   El sacrificio es un regalo especial que se da por amor. (página 210)

Sagrada Comunión   Recibimos el Cuerpo y la Sangre de Cristo en la Sagrada Comunión. (página 224)

Sagrada Escritura   La Biblia también se llama la Sagrada Escritura. (página 8)

salmos   Los salmos son oraciones de la Biblia que la gente a menudo canta. (página 72)

Salvador   Un Salvador es alguien que rescata a otros del peligro. Jesús es nuestro Salvador. (página 210)

santificado   Santificado es otra palabra para "algo que es santo". (página 252)

santo   Ser *santo* significa "ser como Dios". (página 58)

santos   Los santos son personas que muestran un gran amor por los demás y por Dios. (página 58)

servicio   *Servicio* significa "trabajo que ayuda a los demás". (página 178)

tentación   La tentación es querer hacer algo que está mal. (página 252)

Unción de los Enfermos   La Unción de los Enfermos es un Sacramento de Curación que da la paz y el perdón de Cristo a los enfermos, ancianos y moribundos. (página 372)

vocación   La vocación es el llamado de Dios a vivir nuestra vida de manera especial. (página 394)

Glossary

absolution
Absolution is the forgiveness of God given through the priest in the Sacrament of Reconciliation. (page 103)

act of contrition
An act of contrition is a prayer that tells God we are sorry for our sins. (page 133)

Anointing of the Sick
Anointing of the Sick is a Sacrament of Healing. It brings peace and the forgiveness of Christ to people who are sick, elderly, or dying. (page 373)

Baptism
In the Sacrament of Baptism the Church welcomes us as new members. Baptism takes away original sin and all other sin. (page 43)

Bible
The Bible is the written Word of God. It is also called Scripture. (page 151)

bless
To bless means to ask for God's good will toward someone. (page 313)

blessing
A blessing is a prayer that asks for God's gifts for others or for ourselves. (page 313)

confession
Confession is telling our sins to a priest in the Sacrament of Reconciliation. (page 103)

Confirmation
Confirmation is the sacrament in which the Holy Spirit makes our faith in Jesus Christ stronger. (page 371)

conscience
Our conscience helps us know right from wrong. (page 91)

contrition
Contrition means to be sorry and to want to stay away from sin. (page 133)

creation
God made all creation good. (page 151)

Eucharist
The Eucharist is a sacrifice and a special meal of thanks. We receive the Body and Blood of Christ. (page 225)

free choice
Free choice is the freedom God gives us to choose between right and wrong. (page 91)

Gospel The Gospel is the Good News of Jesus in the Bible. The four Gospels tell the Good News of Jesus' life and teachings. (page 9)

grace The gift of grace is God's loving presence in our lives. (page 105)

Great Commandment The Great Commandment is Jesus' teaching about how to love God, ourselves, and others. (page 389)

hallowed Hallowed is another word for "holy." (page 253)

heaven Heaven is happiness with God forever. (page 369)

holy To be holy means to be like God. (page 59)

Holy Communion We receive the Body and Blood of Christ in Holy Communion. (page 225)

Holy Orders Holy Orders is a sacrament in which bishops, priests, and deacons are ordained to special service. (page 285)

homily A homily is a talk given by a priest or deacon. It helps us understand the Bible readings we hear at Mass. (page 165)

justice Justice means to treat people fairly. (page 299)

Liturgy of the Eucharist The Liturgy of the Eucharist begins as we prepare to share a special meal at Mass. (page 223)

Liturgy of the Word The Liturgy of the Word is when we listen to God's Word from the Bible at Mass. (page 165)

Lord's Prayer The Lord's Prayer is the prayer that Jesus taught us. (page 253)

Mass The Mass is a special meal that Jesus shares with us. The Mass is both a sacrifice and a celebration. (page 31)

Matrimony Matrimony is a sacrament in which a man and woman promise to be faithful to each other for their whole lives. (page 285)

mortal sins   Mortal sins are serious sins. They separate us from our friendship with God. (page 119)

New Commandment   The New Commandment from Jesus is, "Love one another as I have loved you." (page 239)

Nicene Creed   Catholics tell what they believe when they pray the Nicene Creed at Mass. (page 165)

original sin   Original sin is the sin of the first man and woman. (page 45)

peace   Peace means getting along with others. (page 299)

penance   A penance is a prayer or kind act to make up for the harm caused by sin. (page 131)

People of God   The People of God are followers of Jesus Christ. (page 31)

praise   Praise is a joyful type of prayer. It celebrates God's goodness. (page 73)

prayer   Prayer is talking to and listening to God. (page 73)

Prayer of the Faithful   The Prayer of the Faithful is the last part of the Liturgy of the Word at Mass. During this prayer we pray for the needs of people everywhere. (page 193)

psalms   Psalms are prayers from the Bible that people often sing. (page 73)

Reconciliation   Reconciliation is a Sacrament of Healing. It celebrates God's love and forgiveness. (page 103)

Resurrection   Resurrection is Jesus' being raised from the dead to new life. (page 211)

sacraments   Sacraments are special signs of God's love and presence. (page 45)

sacrifice   A sacrifice is a special gift that is given out of love. (page 211)

saints   Saints are people who show great love for other people and for God. (page 59)

Savior A Savior is someone who rescues others from danger. Jesus is our Savior. (page 211)

Scripture The Bible is also called Scripture. (page 9)

service Service means doing work that helps others. (page 179)

sin To sin is to do hurtful things on purpose. Sin is disobeying God. (page 91)

Son of God Son of God is a special title for Jesus. Jesus is God's only Son. (page 151)

spiritual gifts The Holy Spirit gives us spiritual gifts. Some of these gifts are knowledge, wisdom, healing, and faith. (page 269)

temptation A temptation is wanting to do something that is wrong. (page 253)

Ten Commandments The Ten Commandments are God's laws. They help us to know how to lead good lives. (page 117)

trespasses Trespasses are sins or wrongs. (page 253)

venial sins Venial sins are less serious sins. They weaken our friendship with God. (page 119)

vocation A vocation is God's call to us to live our lives in a special way. (page 395)

Word of God The Word of God is God speaking to us in Scripture. (page 151)

works of mercy The works of mercy tell how to take care of the needs of others. (page 179)

Índice

Index

La Tierra Santa en la época de Jesús
The Holy Land in the Time of Jesus

GALILEA
GALILEE

Mar de Galilea
Sea of Galilee

Nazaret
Nazareth

Mar Mediterráneo
Mediterranean Sea

SAMARIA

Río Jordán
River Jordan

N
W E
S

Jerusalén
Jerusalem

Belén
Bethlehem

Mar Muerto
Dead Sea

JUDEA